Rolf Kieser   Max Frisch

ROLF KIESER

Max Frisch

Das literarische Tagebuch   10/17/78

For Ernest Reinhold
in grateful appreciation
of his graceful
hospitality.

Cordially,

Rolf Kieser.

Verlag Huber
Frauenfeld und Stuttgart

ISBN 3-7193-0491-4

© 1975 Verlag Huber & Co. AG, Frauenfeld
Satz und Druck: Huber & Co. AG, Frauenfeld
Printed in Switzerland

INHALT

5

VORWORT

Von Bewußtseinsliteratur als Schrifttum der Selbstschau – nicht im biographischen Sinn, sondern als Zeugnis eines Empfindens und Denkens, das in der Spanne zwischen Traum und Wachsein die Umrisse des eigenen Wesens abtastet, einer Literatur, die den tödlichen Fronten der Ideologien entkommt, indem sie Wahrhaftigkeit anstrebt, anstatt Wahrheit zu behaupten – davon handelt diese Arbeit.

Sie ist als Essay gedacht und bemüht sich nicht um eine umfassende Theorie des literarischen Tagebuchs. Dagegen stellt sie an Hand des Frisch-Modells eine Hypothese des Diaristischen auf, die zu einer späteren theoretischen Arbeit Grundsatzerkenntnisse beisteuern könnte.

Ich möchte an dieser Stelle meinen Freunden und Kollegen herzlich danken für den Rat und die kritische Anteilnahme, mit der sie das Werden des Buches verfolgten. Besonderer Dank gebührt der City University of New York, die durch einen bezahlten Urlaub und ein Forschungsstipendium die äußeren Voraussetzungen für diese Arbeit schuf.

EINLEITUNG

Das Tagebuch als literarische Form, insofern es von einem Schriftsteller bewußt als Gefäß für seine dichterische Aussage benutzt wird, muß als Phänomen einer Kultursituation gelten, deren Hoffnung auf exogene Inspiration in bezug auf literarische Formen minimal ist. Dem Tagebuch haftet der Geruch des Privaten, Amateurhaften, Hausbackenen an. Es liegt gleichsam am Anfang der Literaturgeschichte, gleich neben dem Brief und der Chronik, kinderleicht, dem Schulaufsatz kaum entwachsen[1]. Die Aussichten, einer derart elementaren, allen Schreibkundigen zugänglichen Form literarische Werte abgewinnen zu können, scheint gering. Für den künstlerischen Erzähler stellt die Tagebuchform oft geradezu ein Ärgernis, eine müßige Fingerübung dar. «Es ist keine Kunst. Es darf's nicht sein. Warum viel davon sprechen?» urteilt Robert Musil am Anfang seines eigenen, ursprünglich nicht zur Veröffentlichung bestimmten Tagebuchs[2]. Arno Schmidt gar behauptet: «... der Verfasser [eines Tagebuchs] ... kapitulierte vor dem Form-Problem. Das TB ist das Alibi der Wirrköpfe; ist einer der Abörter der Literatur[3]!»

Solche Urteile, die mit weiteren Zitaten namhafter Autoren ergänzt werden könnten[4], scheinen die weitgehende Mißachtung der Gattung Tagebuch durch die Literaturwissenschaft zu rechtfertigen. Doch an diesem Punkt lohnt es sich, eine historische Reflexion einzuschalten. Die anfängliche Geringschätzung des Romans als Kunstform (siehe Schiller) ist bekannt. Andere literarische Genres, wie die Novelle, die Kurzgeschichte, die Anekdote, die als solche noch existieren, haben sich von der Struktur her derart drastisch gewandelt, daß sie noch vor zwei Generationen grundsätzlich abgelehnt worden wären und in ihren Anfängen tatsächlich auch verworfen wurden. Man denke nur etwa an das epische Theater und die moderne reimlose Lyrik. Andererseits finden sich im Museum der Literatur Gattungen und Formen wie die Tragödie, das Versepos, das Sonett, die einst als höchste Gipfel der Kunstvollendung anerkannt und seither von den schöpferischen Sprachgestaltern beiseite geschoben worden sind. Klassiker sind nicht zeitlos. Unser Weg zu ihnen führt über das Verständnis der geistigen Voraussetzungen, die ihre jeweilige Epoche für sie bereithielt. Unsere Einschätzung ihres Ranges darf sich nicht um die Frage drücken, ob sie die Zeichen ihrer Zeit verstanden und wie sie sich denselben sprachlich stellten.

Eine der Eigenschaften, die ein Schriftsteller dem unkünstlerischen Menschen seiner Epoche voraus hat, besteht in der Fähigkeit, geistige Strömungen der Zeit zwischen den Zeilen seiner Sprachkunst einzukreisen und künftige Entwicklungen vorwegzunehmen. Dieselbe Feinnervigkeit, die ihm sein Künstlertum ermöglicht, läßt ihn die Veränderungen der Gegenwart und der Zukunft erahnen. Der Akt der Formwahl, der sprachlichen Gestaltung, bleibt zunächst persönlich, auch wenn ein imaginäres Leserpublikum angesprochen wird. In Max Frischs Tagebuch lesen wir: «Man hält eine Feder hin, wie eine Nadel in der Erdbebenwarte, und eigentlich sind nicht wir es, die schreiben; sondern wir werden geschrieben.» (T. 22)

Die Gültigkeit einer dichterischen Aussage läßt sich demnach nicht allein von ästhetischen Prinzipien her bestimmen. Auch die einfachste literarische Form kann dem Künstler zur Gestaltung dienen. Und oft ist es gerade noch die einfachste Form, die es ihm ermöglicht, der sittlichen Forderung nach Wahrhaftigkeit nachzukommen.

Literarische Stile und Formen werden immer von der Literatur selber überwunden. Die Literatur schreibt ihre eigene Geschichte, die in jedem Fall zu einem Stück Epochengeschichte, im optimalen zur Menschheitsgeschichte wird.

Seit dem 18./19. Jahrhundert schiebt sich das Problem der Auseinandersetzung des Menschen mit der Wirklichkeit immer deutlicher in das Zentrum dichterischer Betrachtungen. Die durch die gesellschaftlichen Veränderungen bewirkte Neustrukturierung des Leserpublikums hatte neue Forderungen

an die Literatur zur Folge. Statt eines gehobenen Gesellschafts-
spiels für Eingeweihte sollte sie zum Medium der Aufklärung
werden. In unserer Zeit wurde inzwischen der Informations-
anspruch der Literatur durch das Aufkommen der Massen-
medien weitgehend aufgehoben. Der Vorrang des geschriebe-
nen Wortes ging an das informierende Bild über. Das Fern-
seherlebnis der Massen, die totale Photographierung unseres
Planeten und unserer Nebenplaneten ließ das beschreibende
Wort, die poetische Metapher, die visionäre Sprache mit einemmal veraltet, ungenügend und unpräzise erscheinen. Die Abwendung von der «Beschreibungsliteratur», wie sie zum Beispiel Peter Handke 1966 postulierte, trägt dieser epochalen
Veränderung Rechnung. In einer Welt, umkreist von Nach-
richten- und Beobachtungssatelliten, bestrahlt von Photolam-
pen, durchforscht von Elektronenmikroskopen, lassen sich
keine neuen Gestade mehr entdecken. Ein Kolumbus ist nur
noch als Don Quixote denkbar. Gleichzeitig beschränkt die
Erosion gesellschaftlicher Ideologien den Dichter in der Anwendung literarischer Formen, die aus einer Zeit stammen,
die an Fortschritt und somit an unbedingte historische Gesetz-
mäßigkeiten glaubte. Ein Schriftsteller, der unter diesen Voraussetzungen gestalten will, wird auf sich selber und auf eine
Sprache zurückgeworfen, die mit den rasenden äußeren Entwicklungen nicht mehr Schritt zu halten vermag.

Die Erkenntnis dieser neuen Situation der Literatur beginnt bereits um die Jahrhundertwende. Sie drückt sich aus in
den inneren Monologen und Bewußtseinsströmen Dostojew-
skis und Joyces, in den Tagebucheintragungen des alten Tolstoi, der eine Epoche heraufdämmern sieht, in der man «überhaupt davon abkommen werde, Kunstwerke zu *ersinnen*[5]», in
dem berühmten Wort aus Hofmannsthals *Chandos-Brief:* «Es
zerfiel mir alles in Teile, die Teile wieder in Teile, und nichts
mehr ließ sich mit einem Begriff umspannen», in der poetischen Gegenwirklichkeit Kafkas, in den erzählerischen Experimenten des Nouveau Roman und – in der Form des modernen literarischen Tagebuchs.

Es geht dem Verfasser dieser Studie darum, den Begriff
des modernen literarischen Tagebuchs an Hand eines Modells
einzukreisen. Diese Methode empfiehlt sich aus verschiedenen

Gründen. Einmal liegt bereits eine Anzahl von Studien über das literarische Tagebuch im allgemeinen vor, die sich indessen entweder auf Betrachtungen über die Tagebuchtradition beschränken[6] oder aber an Hand einer Anzahl mehr oder minder willkürlich gewählter Tagebuchautoren die individuellen Voraussetzungen zur Verfassung eines Tagebuchs untersuchen[7]. Andererseits gilt es zu bedenken, daß die Möglichkeiten des persönlichen Tagebuchs als bewußte epische Kunstform noch nicht lange erkannt und erst von relativ wenigen Dichtern der Gegenwart voll ausgeschöpft worden sind. Einem von ihnen ist ein Durchbruch gelungen, der mit einem Schlag die literarischen Möglichkeiten und die künstlerische Relevanz der Tagebuchform für die Literatur unserer Tage erhellt.

Max Frisch zählt bereits zu den Klassikern der modernen deutschen Literatur. Zu Anfang seines Schaffens vor allem als Theaterautor bekannt, hat er seit dem Erscheinen seiner drei Romane *Stiller, Homo faber* und *Mein Name sei Gantenbein* die Kritiker vor die Frage gestellt, ob nun die Palme künstlerischen Schaffens dem Dramatiker oder dem epischen Erzähler zuzusprechen sei. Uns geht es hier darum, Frisch als Diaristen vorzustellen und nachzuweisen, daß diesem Schriftsteller mit der Entdeckung der Möglichkeiten des literarischen Tagebuchs die Erschließung einer stimmigen zeitgemäßen Aussageform gelungen ist, die die sattsam bekannte Frage «Wozu Literatur heute?» aufs gültigste und eindrücklichste beantwortet.

Die Wahl von Frischs Werk als Modell für diese Studie über das literarische Tagebuch muß indessen noch weiter begründet werden. Es fällt zunächst einmal auf, daß dieser Autor in den bisher veröffentlichten Studien über das Phänomen des Tagebuchs kaum oder überhaupt nicht erwähnt wird. Dies ist um so verwunderlicher, als sich das Tagebuch sowohl stofflich als auch von der Form her immer stärker als Keimzelle seines gesamten späteren Werks präsentiert, eines Werks, ohne das die deutsche Nachkriegsliteratur ungleich weniger repräsentativ wäre. Eine Anzahl Autoren haben auf den engen Zusammenhang zwischen der Tagebuchstruktur und Frischs Gesamtwerk hingewiesen, doch ist es bisher noch nicht zu einer umfassenden Untersuchung gekommen[8]. Mit der vorliegenden Studie soll versucht werden, diese Lücke zu schließen. Außerdem verdanken wir Frischs intensiver Beschäftigung mit dem Tagebuch so viele theoretische und praktische Einblicke, daß wir an Hand seines Werks versuchen können, eine Theorie des modernen Tagebuchs zu entwerfen und sie als Beitrag zum Verständnis eines bisher wenig beachteten Literaturphänomens anzubieten.

Vorerst gilt es nun noch, den Begriff des modernen literarischen Tagebuchs abzugrenzen. Wie schon die allgemeinen Studien überzeugend nachweisen, gehört der Tagebuchbegriff zu den ältesten Begriffen der Literatur überhaupt. Als Stilelement fanden fiktive Tagebücher schon seit langer Zeit Eingang in die Erzählliteratur; als Dokumente beschäftigten sie Historiker; als Selbstzeugnisse warben sie um menschliche Anteilnahme. Mit diesen Typen von Tagebüchern will sich diese Studie nicht befassen. Sie setzt vielmehr an dem Punkte ein, wo ein Schriftsteller das Führen eines Tagebuchs mit bewußtem Gestaltungswillen und unter Berücksichtigung eines Leserpublikums unternimmt. Der Schritt an die Öffentlichkeit stellt, historisch gesehen, die Überwindung der Tradition des sogenannten *Journal intime* des 19. Jahrhunderts dar, insofern diese kaum übertroffenen «Zeugnisse pathetischer Ichbezogenheit[9]» als letzte, oft (wie bei Amiel) maßlos übersteigerte Dokumente eines narzißtischen Individualismus völlig nach innen gerichtet sind und (beispielsweise bei Hebbel und Grillparzer) Krankengeschichten näher stehen als literarischen Aussagen. Während nun die «journalistes intimes» von der irrigen Vorstellung ausgingen, sie schrieben in ihren Tagebüchern gleichsam an sich selber, eine Fiktion, die sie alsogleich durch Veröffentlichung dieser Schriften *ad absurdum* führten (Lavater, sein *Geheimes Tagebuch* zum Drucker tragend, sei hier stellvertretend genannt), so vollzieht der moderne Diarist durch einen scheinbar paradoxen Schritt die Wendung vom intimen Dokument zur literarischen Kunstform. Das Paradoxe besteht darin, daß er bei der Veröffentlichung seiner persönlichen Aufzeichnungen bewußt auf private Äußerungen verzichtet und damit eine der wichtigsten Forderungen erfüllt, die an die Literatur im allgemeinen gestellt werden. In den oben erwähnten Studien über das Genre des literarischen Tagebuchs herrscht gewöhnlich große Unsicherheit und Ratlosigkeit, so-

13

bald es darum geht, den Literaturwert eines solchen zu bestimmen. Die meisten Autoren starren fasziniert auf die Verbindung «Tagebuch» und «privat», die sich für sie nicht trennen läßt und in einzelnen Fällen, wie bei Hocke, Schoeps, Gräser und Bühner[10], zur fragwürdigen Behauptung führt, nur das Tagebuch ohne Gegenüber, das wirklich intime also, das wir meist überhaupt nicht zur Kenntnis nehmen und demnach gar nicht kritisch beurteilen können, sei «echt».

Wir halten dafür, daß mit dem Fragenkomplex «echt oder unecht» weder das Phänomen noch der literarische Wert eines Tagebuchs erfaßt werden kann. Dies kann vielmehr nur geschehen, wenn wir die gleichen Maßstäbe, wie wir sie im allgemeinen zur Beurteilung und zur Einstufung literarischer Kunstwerke verwenden, auch dem Tagebuch anlegen. «Der Wille zur Form», wie Gräser nietzscheanisch formuliert, kann hierbei ebensowenig als Definitionsansatz für die Unterscheidung zwischen literarischen und nichtliterarischen Tagebüchern befriedigen wie Grenzmanns Kriterium vom «Zwang zu begrifflicher und sprachlicher Fixierung» oder Justs «energischer Wille zur kunstvollen Ausgestaltung des Niedergeschriebenen». Das zentrale Problem, so scheint es uns, liegt bei dem Begriff der Fiktionalität. Boerner weist mit Recht darauf hin, daß beim modernen literarischen Tagebuch die «Frage der Übergänge» zwischen «fiction and nonfiction» auftaucht. Mit der vorliegenden Studie soll demonstriert werden, wie sich gerade beim Phänomen des modernen literarischen Tagebuchs der herkömmliche Begriff der literarischen Fiktionalität drastisch und grundsätzlich zu ändern beginnt.

Die bisherigen Untersuchungen über das Genre «literarisches Tagebuch» legten allesamt sehr viel Gewicht darauf, die Frage der Motivierung, die einen Autor veranlaßte, ein Tagebuch zu führen, zu klären. Gerade eine solche Frage dürfte aber, wenn man das Tagebuch als literarisches Produkt ernst nehmen will, müßig, ja falsch sein. Stichworte wie «Werkstatt des Schriftstellers» oder «Logbuch im Labyrinth» sagen über den literarischen Charakter des Tagebuchs wenig aus; sie könnten mit einigem Recht auch auf beliebige andere Dichtungsgattungen angewendet werden. Einen besseren Ansatzpunkt gewinnen wir, wenn wir die Kunst des Tagebuchs in einem zunächst sehr unpräzisen Koordinatennetz festhalten. Als elementarste Definition für das Schreiben eines Tagebuchs bietet sich das Stichwort «Bewußtseinsstudie in der Zeit» an. Diese Formulierung, deren Vagheit offen daliegt, läßt sich ergänzen mit der Feststellung, daß sich der Diarist mit den beiden Komponenten «Bewußtsein» und «Zeit» innerhalb des Tagebuchs grundsätzlicher befassen muß als der Verfasser herkömmlicher epischer Prosa. Hieraus ergibt sich als Ausgangspunkt unserer Untersuchung eine Studie über den Standpunkt des Diaristen, ergänzt durch eine Analyse seiner Erzählhaltung. Eine Betrachtung über die Zeitfrage und seinen Erlebnisbereich schließt sich unmittelbar an. Von hier führt der logische Weg über eine Untersuchung der diaristischen Sprache und Struktur zu grundsätzlichen Betrachtungen zur Fiktionalität des literarischen Tagebuchs, von dort aus über die Sonderprobleme von Zufall und Fügung und das Begriffspaar «Einfall und Erfahrung» zu dem Verhältnis zwischen diaristischem Spiel und Spielbewußtsein.

Unsere Untersuchung darf nicht als abgeschlossen gelten ohne einen Versuch, das moderne literarische Tagebuch einzugliedern unter die Prosaformen der Gegenwart und der Vergangenheit. Zum Schluß läßt sich das Erarbeitete in einem Ausblick auf Zukunft und Entwicklungsmöglichkeiten des Tagebuchs zusammenfassen.

In einem dritten Teil sollen die wichtigsten Werke Max Frischs aus einer bestimmten Periode seines Schaffens auf die Haltbarkeit der erarbeiteten Theorie überprüft werden. An Hand einer Reihe von Interpretationsversuchen aus dem Gesichtswinkel der Diaristik als Kunsthaltung soll der Nachweis erbracht werden, daß Max Frischs Tagebuchformel zu einer bedeutsamen Entwicklung der Gegenwartsliteratur führt, deren Folgen noch nicht abzusehen sind.

Die zentrale Beschäftigung mit dem schriftstellerischen Werk Max Frischs darf natürlich häufige Seitenblicke auf Parallelen oder Gegensätze in den literarischen Tagebüchern anderer Autoren nicht ausschließen. Es sei hier nochmals auf die Modellfunktion von Frischs Werk für unsere Untersuchung hingewiesen und auf den Umstand, daß wir diesen Schriftsteller als den Protagonisten der modernen Tagebuchkunst betrachten dürfen.

I. TEIL

STILELEMENTE DES LITERARISCHEN TAGEBUCHS

«Schreiben heißt: sich selber lesen.»
(Max Frisch, *Tagebuch 1946–1949*)

1. Der Standpunkt des Tagebuchautors

Wie schon erwähnt, soll uns die Motivierung, die einen Autor bewegt, ein Tagebuch zu verfassen, nicht weiter beschäftigen. Dagegen gilt es hervorzuheben, daß der unmittelbare Anstoß, der zur Niederschrift eines Tagebuchs führt, in jedem Fall mit einer existentiellen Selbstbesinnung des Schriftstellers zusammenhängt. Die dialektische Konfrontation zwischen Ich und Umwelt weitet sich durch Elemente wie Erlebnis, Reflexion und Erinnerung zu einer grundsätzlichen Auseinandersetzung mit dem Problem der Wahrnehmung der Wirklichkeit aus, wird zu einem dauernden Wechselstrom zwischen zwei Polen, der sich in Peter Handkes berühmter Formel von der «Innenwelt der Außenwelt der Innenwelt» ausdrücken läßt. Der Akt des Tagebuchschreibens bedingt, daß sich der Autor zu einem subjektiven Standpunkt bekennt und gleichzeitig wahrnimmt, daß sich dieser Subjektivismus auch auf die Erfassung der «Wirklichkeit» bezieht. Mit dieser Erkenntnis verzichtet der Tagebuchautor von vornherein darauf, «über den Dingen» zu stehen; seine subjektive Meinung bleibt als solche erkennbar und wird zu einer möglichen Ansicht unter vielen, hervorgehoben nur durch seine individuelle sprachliche Gestaltungskraft, die sich im *hic et nunc* erfüllt. Das Bewußtwerden dieser Situation gehört zu den Voraussetzungen eines literarischen Tagebuchs. Der Standpunkt des Tagebucherzählers setzt sich damit drastisch und unmißverständlich von demjenigen des realistischen Romanciers ab, indem der Diarist auf überblickende Allwissenheit verzichtet, die es dem realistischen Erzähler angeblich ermöglicht, Einblick in das

Denken und Fühlen seiner Figuren zu gewinnen und deren Leben gewissermaßen von hinten her aufzurollen wie einen kunstvoll gewirkten Teppich. Das Wesen des Tagebuchs verpflichtet den Autor, sich zur Wandelbarkeit eines Urteils, eines Standpunkts zu bekennen, ein Phänomen, auf das wir später im Zusammenhang mit Struktur- und Formfragen weiter eingehen müssen. Zunächst gilt es einmal, das oben Gesagte an Hand von Selbstzeugnissen aus dem Werke Frischs zu belegen.

Im bisher vorliegenden Gesamtwerk Frischs lassen sich deutlich zwei Schaffensperioden unterscheiden. Nach feuilletonistischen Skizzen aus den frühen dreißiger Jahren, deren Wiederentdeckung wir Hans Bänziger und Ulrich Weisstein zu verdanken haben, finden sich die ersten Romane *Jürg Reinhart* (1934) und *Antwort aus der Stille* (1937)[11], deren lyrische Prosa auf einen starken Einfluß Albin Zollingers[12], möglicherweise auch Carossas[13], Hesses[14] und Ernst Jüngers[15] schließen lassen. Bereits unter den feuilletonistischen Essays finden sich Tagebuchskizzen[16], die jedoch unsystematisch und ungeordnet sich von üblichen Reiseschilderungen kaum unterscheiden. Das äußere Ereignis des zweiten Weltkrieges bewirkte die Entstehung des ersten zusammenhängenden Tagebuchs, das unter dem Titel *Blätter aus dem Brotsack* (1940) erschien. Frisch selber sagt darüber: «Nach den ersten Anfängen, die sehr ungenügend waren [...] gab (ich) mir das Versprechen, nie wieder zu schreiben, und dann brach der Krieg aus, und unter dieser Bedrohung, die ich damals sehr ernst nahm (ich hatte nicht gedacht, daß wir ausgelassen würden), hab ich sozusagen für die letzte Zeit, die noch blieb, nochmals für mich diese Notizen gemacht und ohne jede theoretische Überlegung, ohne jede Reflexion in dieser unpraktischen Situation des Soldatseins natürlich das Tagebuch gewählt; denn das war möglich, daß ich in einer halben Stunde Feierabend oder zwischenhinein Notizen machen konnte; und ich habe eigentlich dort ohne viel Bewußtsein eine Form für mich entdeckt, die offenbar eine der möglichen Formen für mich ist.» (*I.M.*)

Aus diesem Zeugnis geht deutlich hervor, daß das Entstehen des ersten Tagebuchs auf ein existentielles Endzeitbewußtsein zurückzuführen ist. Das Tagebuch setzt sozusagen am Vorabend des Todes ein; sein Abschluß fällt mit dem ersten Urlaub des Soldaten, der die Abwendung der unmittelbaren Bedrohung anzeigt, zusammen. Stilistisch gesehen, bedeutet die Entdeckung des Tagebuchs als mögliche Form für Frisch eine durch äußere Notwendigkeit erzwungene Straffung und Konzentrierung der Aussage. Die frühe lyrische Prosa, an deren Formlosigkeit Frisch offenbar verzweifelte bis zum Punkt der völligen Aufgabe der Schriftstellerei, scheint damit wirksam überwunden. Es wäre übertrieben, zu behaupten, erst die Entdeckung des Tagebuchs habe Frisch zum Dichter gemacht, als den wir ihn heute kennen, doch läßt sich stilkritisch nachweisen, daß die Haltung des Tagebuchschreibers es Frisch ermöglichte, einen neuen, günstigeren Standpunkt gegenüber seinem Werk zu finden, eine neue Sprache zu erarbeiten und schließlich jenen scheinbar nüchternen, ironisch schillernden Ton zu treffen, der in seinen Dramen und besonders in den großen Romanen zum Medium einer präzisen dichterischen Aussage wird. Auch die Komposition der Dramen an sich wäre ohne diesen Zwang zur Straffung kaum denkbar gewesen.

Neben der durch äußere Umstände erzwungenen Konzentration der Sprache verändert sich durch die Entdeckung des Tagebuchs auch die Erzählhaltung des Schriftstellers Frisch. Ein wesentliches Element des Tagebuchs, die nüchterne Reflexion, findet Eingang in seine Sprache. Dies zeigt sich bereits in der Neubearbeitung und Erweiterung des Erstlingsromans *Jürg Reinhart,* der unter dem stark ironisch gefärbten Titel *J'adore ce qui me brûle oder Die Schwierigen* 1943 publiziert wird. Abschied von der lyrischen Sprache der frühen Jahre bedeutet die spielerisch angelegte, wehmütig-ironische Prosaskizze *Bin, oder die Reise nach Peking* (1945). Dann erscheint, noch im gleichen Jahr, das erste Drama, *Nun singen sie wieder,* das, im Stil noch unselbständig und unsicher (mit einem starken Anklang an Wolfgang Borcherts Heimkehrerdramen), den Durchbruch Frischs zum Dramatiker ankündet. Die vielbestaunte Sensation, daß die bislang auf dramatischem Gebiet wenig fruchtbare Schweizer Literatur mit einemmal gleich zwei ernst zu nehmende Theaterdichter aufzuweisen hat – dem zehn Jahre jüngeren Friedrich Dürrenmatt gelingt zur selben Zeit sein erster Theaterskandal –, mag der entscheidende Grund dafür sein, daß dem Erscheinen des *Tagebuchs mit Marion* (1947), drei Jahre später zum *Tagebuch 1946–1949* erweitert, wenig Beachtung zukam. Die unmittelbar auf den Krieg folgende Periode von etwa fünfzehn Jahren steht, literarhistorisch gesehen, im Zeichen des Theaters. Ein fieberhafter Austausch von Autoren und Stücken setzt nach der Lähmung durch den Krieg ein. Die deutschen und Schweizer Bühnen erleben triumphale Aufführungen. Sartre, Camus, Claudel werden gespielt, die amerikanischen Dramatiker von Tennessee Williams bis Arthur Miller «entdeckt», und schließlich erlebt Brecht eine zunächst zögernde, dann immer triumphalere Rückkehr auf die europäischen Bühnen. In der Retrospektive jedoch wirken jene Theaterjahre wie ein Abgesang der gesellschaftlichen Institution «Theater». Die Tragfähigkeit der Bühne, als moralische Anstalt betrachtet, steht bei der sich langsam abzeichnenden dramatischen Krise nicht zur Frage. Es geht vielmehr um das elementare Problem der Kommunikation, und es zeigt sich, daß die Sprache als Medium der Verständigung im Wettbewerb mit der sich ausweitenden Ikonographie des Films und des Fernsehens ins Hintertreffen gerät. Die Bühne selber macht mit Beckett einen Schritt gegen die Ikonographie hin; das Wort verstummt. An Stelle der Theaterdichtung treten wieder das Elementartheater, Tanz, die Pantomime, die lebenden Bilder. Das Wort «Zuschauer» gewinnt immer mehr seine ursprüngliche Bedeutung zurück.

Die Situation des Zuschauers, des Beobachters im weitesten Sinne, umschreibt nun auch die Stellung des Tagebuchautors. «Max Frisch dichtet das Zuschauen, er dichtet den Beobachter von Geschichten, und dieser Beobachter ist voller Neugier: im Wirbel von Geschichten, die eine, vollkommen reine, ganz passende, die ‹sitzende› Geschichte zu eräugen, welche Wahrheit wäre und in dieser Wahrheit ohne Zeit, göttlich, paradiesisch», meint Werner Weber[17] und greift damit ein wesentliches Element der Tagebuchsituation heraus. Nach Walter Benjamins Formel ist das Kunstwerk ins Zeitalter der technischen Reproduzierbarkeit getreten. Die «Neugier des Zuschauers» mischt sich mit dem Bedenken gegenüber dem

Wahrheitsgehalt des Dargebotenen. Die Haltung des Zuschauers, und damit auch die Haltung des Tagebuchautors, ist eine kritisch-fragende, keine naiv-genießende. Sie enthält das gleiche Mißtrauen gegenüber der Darstellbarkeit und der Erlebbarkeit der Wirklichkeit, das die sensibleren Schriftsteller der Epoche erfüllt. Hinter der Flut der Informationen und Dokumentationen wird die Komplexität der gesellschaftlichen Strukturen erahnt, zum erstenmal die äußerst beschränkte Überschaubarkeit auch der unbedeutendsten Ereignisse vom künstlerischen Standpunkt aus begriffen. Welttheater ist, wie Ionesco und Dürrenmatt einsehen, nur noch als absurder oder grotesker Abgesang möglich, die Zeit des symbolischen Individuums, das ein ganzes Anschauungssystem verkörpert, endgültig vorbei. Gleichzeitig aber wird die Individualität des Künstlers mehr als je zuvor auf sich selber zurückgeworfen, ein Vorgang, der seine Parallele nur in der Zeit der Mystik findet, mit dem großen Unterschied freilich, daß sich das barocke Individuum im uferlosen Meer der Gottheit dennoch als Fixpunkt erkennen durfte. Die Aufhebung des Individualismus in der modernen Welt führt unter anderem eigenartigerweise zur Entstehung von Ich-Geschichten, deren Symbolwert im Hinblick auf eine Gesamtschau indessen von vornherein gering veranschlagt wird, die aber auch nicht als weltfremde Ich-Bezogenheit gesehen werden dürfen. «Es ist nicht die Zeit für Ich-Geschichten», sagt Frisch im *Gantenbein*. «Und dennoch vollzieht sich das menschliche Leben oder verfehlt sich am einzelnen Ich, nirgends sonst.» (*G.* 74f.) Hier wird der Ansatz des Tagebuchschreibers sichtbar. Sein Schreibrecht kann «niemals in seiner Person, nur in seiner Zeitgenossenschaft begründet sein». (*T.* «An den Leser») Schreiben heißt zunächst einmal, «sich selber lesen».

Die Tagebuchform als eine der elementarsten Erzählformen hat das erzählerische Ich zum Gegenstand der Betrachtung, wobei dieses Ich personell nicht interessiert, vielmehr bewußt in seiner Relativität und Befangenheit gesehen wird. Der Akt der Beobachtung ist dem Kantschen Prinzip der Kritik der Urteilskraft verwandt; das Dichterische tritt in der reflektiven Formgebung des Beobachtens in seine Rechte. Das *Wie* und *Was* des Beobachtens bringt den Autor zwangsläufig auf das

Problem von *Zufall* und *Fügung;* das Zeitproblem verbindet sich mit dem Problem des *déjà vu,* der *Wiederholung.* Will der Autor dem Prinzip des Tagebuchs als Form treu bleiben, so darf er seine Beobachtungen und das, was daraus wird, nicht nachträglich retuschieren: Tagebuchschreiben ersetzt das Prinzip der *Wahrheit* durch dasjenige der *Wahrhaftigkeit* im Sinne eines Bekenntnisses zum jeweiligen Standpunkt, ein Prinzip, das damit zum *Kunstprinzip* wird, nicht zur moralischen Frage. Im Vorwort zum *Tagebuch 1946–1949* beschwört Frisch denn auch den Leser, das Tagebuch «nicht nach Laune und Zufall hin und her blätternd» zu lesen, sondern «die zusammensetzende Folge» zu achten. Denn – und damit gelangen wir zum Formprinzip – das Tagebuch ist gesamtheitlich zu verstehen, als dichterische Aussage, deren Aussagewert nicht in der künstlerischen Nachvollziehung einer gegebenen Form, sondern in der ersten und zugleich letzten Position des Dichters besteht: im Ordnen des Chaos durch Sprache.

2. Die diaristische Erzählhaltung

In einem Briefwechsel mit Walter Höllerer bekennt Frisch ironisch, er sei ein «Egomane»: «... ich schreibe nicht, um zu lehren, sondern um meine Verfassung auszukundschaften durch Darstellung – meine Verfassung: meine Zweifel an was[18]?» Der Begriff «Verfassung» enthält eine stark relativistische, der ständigen Veränderung unterworfene Bedeutungskomponente. In ihr manifestiert sich die Erzählhaltung des Diaristen, die der Haltung des Verhaltensforschers insofern verwandt ist, als das «Auskundschaften der eigenen Verfassung» zur Erarbeitung phänomenologischer Daten – im Tagebuch in des Wortes doppelter Bedeutung – führt, die in einem zweiten Arbeitsgang «ausgewertet», das heißt durch Reflexion und künstlerische Intuition in einen Bedeutungszusammenhang gesetzt und schließlich durch das sprachliche Ausdrucksvermögen des Schriftstellers in die adäquate Form gegossen werden. Das Resultat dieser «wissenschaftlichen» Haltung ist eine Selbstschau, deren Zufälligkeit nur durch die literarische

Gestaltungskraft des Autors, nicht aber durch das Einmalige seiner Erlebnisse für den Leser aufgehoben wird. Bänziger irrt, wenn er von Frisch behauptet: «Es gehört zu seinem Unstern, das Persönlichste preisgeben zu müssen. Weil er seine Lebensbeichte nicht Gott zu überantworten vermag, bleibt sie integrierender Bestandteil der Dichtung[19].» Auch Bänzigers Behauptung, es handle sich bei den Tagebüchern um «Aufzeichnungen privatester Natur[20]», halten einer genauen Lektüre der Diarien nicht stand. Gerade ein Tagebuch wäre ja, wie die *Journaux intimes* beweisen, das geeignete Tummelfeld für einen potentiellen Exhibitionisten. Im *Tagebuch 1946–1949* wird man außer einer unpersönlichen und – wie wir später sehen werden – funktionell bedingten autobiographischen Skizze keinerlei Bekenntnisse und Enthüllungen finden, die auf Frischs private Verhältnisse oder gar auf sein Intimleben schließen lassen. Dasselbe gilt auch für das *Tagebuch 1966–1971*. Bänziger – und mit ihm verschiedene andere Frisch-Biographen – sind der Verwechslung «privat» mit «persönlich» zum Opfer gefallen. Denn persönlich ist die Kunst des Tagebuchs und das von diesem bestimmte Gesamtwerk Frischs allerdings, privat keineswegs. Das Tagebuch ist, wie wir weiter oben darzulegen versucht haben, ein *Psychogramm,* aber keine *Psychoanalyse.* In der strengen Auseinanderhaltung dieser zwei Bereiche tritt die Besonderheit der Erzählhaltung des Tagebuchautors ebenso deutlich zutage wie in der peinlich genauen Scheidung der beiden Begriffseinheiten *Wahrheit* und *Wahrhaftigkeit.*

Ein beliebtes Epitheton, das Frisch immer wieder angehängt wird, ist dasjenige des «Moralisten[21]». Tatsächlich scheint das häufig dargelegte Bestreben nach Wahrhaftigkeit, das sich, oft offen deklarierend, durch Frischs ganzes Werk zieht, jene Bezeichnung zu rechtfertigen. Bei genauerer Betrachtung jedoch zeigt sich auch hier mit aller Deutlichkeit die spezifische Haltung des Tagebuchautors, die wir weiter oben als «wissenschaftlich» apostrophierten, insofern sich diese Haltung mit dem beruflich-methodischen Ethos des Forschers deckt, der sich ja bei seinen Untersuchungen auch nicht von moralischen Prinzipien, sondern von intellektueller Redlichkeit führen lassen will. Es gilt zudem zu bedenken, daß

Frisch die Wahrheit als allumfassenden Begriff ablehnt und nur die Existenz von *Wahrheiten* akzeptiert, die ihrerseits nur für den Augenblick faßbar sind[22] und als der beständigen Revision unterworfene Bewußtseinsaxiome einer bestimmten Persönlichkeitskonstellation eine rein künstlerische, und das heißt hier subjektive, Aussagekraft besitzen. Die Ablehnung des Prinzips «Wahrheit» schließt den Kampf gegen Ideologien und Abstraktionen ein, die den Wahrheitsbegriff dogmatisch fassen und für sich beanspruchen wollen. Frisch sagt darüber in seiner berühmten Büchner-Rede (1958): «Alles Lebendige hat es in sich, Widerspruch zu sein; es zersetzt die Ideologie, und wir brauchen uns infolgedessen nicht zu schämen, wenn man uns vorwirft, unsere Schriftstellerei sei zersetzend. Wir brauchen's nicht an die große Glocke zu hängen; aber das ist ja unser Engagement! Was die Zeitungen, im Auftrag der Macht, täglich in schlachtbereiten Fronten bringen, wir zersetzen es mit jeder echten Darstellung einer Kreatur. Indem wir keine Stellung nehmen (so sagt man doch?) zu Alternativen, die keine sind, haben wir durchaus eine Wirkung. Seien wir diesbezüglich unbesorgt! Was hassen sie mehr, hüben wie drüben, als Darstellung vom Menschen, die das Hüben und Drüben aufhebt[23].» Die Zersetzung der Ideologien und Abstraktionen durch die «kombattante Resignation» des einzelnen Schriftstellers bedingt «ein individuelles Engagement an die Wahrhaftigkeit». Verschiedene Kritiker haben aus Verständnislosigkeit über diese Zusammenhänge dem Schriftsteller Frisch vorgeworfen, er entziehe sich der Verpflichtung, an Stelle der zersetzten Abstraktionen neue Werte einzusetzen. So rügt etwa Marcel Reich-Ranicki: «Wir werden zu Wanderungen eingeladen, die sich als faszinierend erweisen, jedoch zu Gemeinplätzen führen[24].» Der Amerikaner Theodore Ziolkowski, einer der ersten Literaturwissenschafter, die Frisch für die Vereinigten Staaten «entdeckten», bezeichnet ihn etwas unbehaglich als «moralist without a moral[25]». Aus dem bisher Dargelegten dürfte bereits hervorgehen, daß ein Schriftsteller, wenn er das Tagebuch als künstlerische Form behandelt, von seiner spezifischen Erzählhaltung her veranlaßt wird, wertfreie und demnach undidaktische Aussagen zu machen. Dennoch gilt es, diese Haltung streng von einer *Art-pour-*

l'art-Einstellung abzugrenzen. Das Prinzip der Wahrhaftigkeit, das sich als Haltungsprinzip der Tagebuchkunst erwiesen hat, ist kein ästhetisches Prinzip, und ethisch ist es nur in dem Maße, wie wir es oben aufzuzeigen versuchten: indem es die Erklärung darstellt, die Forschungsergebnisse bei der Untersuchung der eigenen Bewußtseinssituation unretuschiert zu veröffentlichen, was wiederum einem Bekenntnis zu fortwährenden Widersprüchen, Ergänzungen und Korrekturen entspricht. Daß dabei auch moralische Wertungen im traditionellen Sinn auftauchen, gehört zum Charakter des Psychogramms. Der Diarist zieht ja nicht aus, der Welt seine moralischen Maßstäbe anzupassen. Wenn er bei seiner Wanderung die eigenen moralischen Ansprüche entdeckt, so stellt er sie als Teil seines selbstbeobachteten Verhaltens distanziert und ironisch zur Diskussion. In der einführenden theoretischen Betrachtung über den Sinn eines Tagebuchs läßt Frisch denn auch über seine Ironie in Anbetracht des beobachteten eigenen Moralismus keinen Zweifel aufkommen:

Schreiben heißt: sich selber lesen. Was selten ein reines Vergnügen ist; man erschrickt auf Schritt und Tritt, man hält sich für einen fröhlichen Gesellen, und wenn man sich zufällig in einer Fensterscheibe sieht, erkennt man, daß man ein Griesgram ist. Und ein Moralist, wenn man sich liest. Es läßt sich nichts machen dagegen. Wir können nur, indem wir den Zickzack unserer jeweiligen Gedanken bezeugen und sichtbar machen, unser Wesen kennenlernen, seine Wirrnis oder seine heimliche Einheit, sein Unentrinnbares, seine Wahrheit, die wir unmittelbar nicht aussagen können, nicht von einem einzelnen Augenblick aus –. (*T.* 22)

Das erzählende Ich des Tagebuchschreibers Frisch ist in jedem Falle ein *literarisches* Ich, das heißt, es zeigt und enthüllt ebensoviel oder ebensowenig von der Persönlichkeit des Schriftstellers wie die fingierten Ichs der Romane und Dramen. Das Intrigierende am erzählenden Ich des Tagebuchs besteht darin, daß der Autor es beim Namen nennt – und es doch nicht meint. Im Zusammenhang mit dem Problem der Fiktionalität werden wir erkennen, daß die Maskierung des erzählenden Ichs im Tagebuch nicht als kokettes Versteckspiel des Privatmannes Frisch zu verstehen ist, sondern als Ausdruck eines radikalen Zweifels an der Erzählbarkeit eines Lebens. Von der künstlerischen Erzählhaltung unter der Forderung nach

Wahrhaftigkeit aus gesehen, ergibt sich daraus zwangsläufig ein Verzicht auf Selbstanalyse. Das Ich drückt sich aus in Sprache. Die sprachlichen Formulierungen sind Entwürfe, sind Versuche, spontane Einblicke gleichsam in einem linguistischen Netz zu fangen. «Die einzelnen Steine eines Mosaiks», wie Frisch diese diaristischen Elemente in der Einführung zum *Tagebuch 1946–1949* nennt, ergeben zusammen nicht ein Gesamtbild einer Persönlichkeit, sondern zeigen den Versuch eines Dichter-Ichs, die Welt diskursiv und intuitiv zugleich zu erfassen. Analysiert wird – und das sei nochmals deutlich hervorgehoben – nicht die Persönlichkeit des Autors, sondern das Bewußtsein dieser Persönlichkeit.

Zum Schluß dieses Abschnittes soll die Kunst des literarischen Tagebuchs von derjenigen der Autobiographie abgegrenzt werden, was in den weiter oben angeführten Monographien über das Tagebuch im allgemeinen ebenfalls getan wird, in allen Fällen jedoch, da die Gesichtswinkel verschieden sind, zu anderen Resultaten führen muß. Hocke sieht in der Autobiographie «die Synthese», im Tagebuch «die ‹Analyse› eines individuellen Lebens[26]». Da Hocke vom unliterarischen Prinzip der «Echtheit» eines Tagebuchs ausgeht, hat seine Formulierung für unsere Untersuchung wenig Bedeutung. Wilhelm Grenzmann betont vor allem den Distanzunterschied des erzählenden Ichs und meint, daß «die Autobiographie in die Ferne [...] das Tagebuch in die Nähe[27]» sehe. Wir können uns dieser Sicht nur bedingt anschließen, zumal das Element «Distanz» in keiner literarischen Form einen charakteristischen Stellenwert besitzt. Unser Ansatz für die Unterscheidung zwischen Autobiographie und Tagebuch liegt vielmehr bei der Frage der Komposition. Die Selbstbiographie, meist in der altersmäßig späten Phase eines Lebens verfaßt, hat den Inhalt eben dieses Lebens zum Thema. Die Annahme, dieses spezifische Leben sei in seiner Einmaligkeit überhaupt erzählenswert, führt, vom erzählenden Ich des Autors aus gesehen, in ähnliche Bereiche der Darstellung wie diejenigen des *Journal intime*. Das Ich wird zum absoluten Mittelpunkt erklärt, und alle Figuren, Erlebnisse und Erkenntnisse werden unmittelbar auf dieses Ich bezogen. Dessen Bedeutung wird damit überhöht; es wird exemplarisch, stilisiert, nimmt Modellcharakter an und wird zum Mythos einer Persönlichkeit, von ihr selber gewoben, im besten Fall sachlich oder naiv, im schlimmsten verlogen. Wir sehen an dieser Stelle, wie sich das autobiographische Kunstprinzip deutlich vom Wahrhaftigkeitsprinzip des Diaristen unterscheidet, wobei das letztere ja eben auf der Überzeugung beruht, die Erlebnisspanne eines Lebens sei – nicht nur aus praktischen Gründen – mit sprachlichen Mitteln kaum erfaßbar. Eine Lebensgeschichte gerät für den Tagebuchautor automatisch zur Stereotype, in der gerade die Vielfältigkeit, das Unerklärliche und Unerwartete des Lebens verlorengeht. Wo der Autobiograph angibt, *sein* Leben zu erzählen, unternimmt der Diarist den kompositionell anspruchsloseren, darstellungsmäßig jedoch unendlich viel schwierigeren Versuch, das Phänomen des Lebens an sich an Hand von Erlebnismustern einzufangen. Am Ende steht der Verzicht auf die Analyse der Vorgänge, auf das Verständnis der Zusammenhänge, was letzten Endes wiederum als «Kampf gegen die Abstraktion» zu deuten ist. Dem Selbstbiographen von seiner späten Warte aus ist dagegen die Deutung der Zusammenhänge geradezu Voraussetzung für seine Arbeit. Indem er sein Leben als exemplarische Gesamtheit auffaßt, verzichtet er ausdrücklich auf jenen Relativismus, unter dem die Lebensschau des Tagebuchautors stattfindet.

Das Verschwinden des Individualismus als Weltperspektive in unserer Zeit hat denn auch zur Folge, daß fast nur noch Staatsmänner und Schauspieler Autobiographien schreiben, Personen also, denen Bühnenauftreten und damit gesellschaftlich bedingte Überhöhung der eigenen Persönlichkeit zur Routine geworden ist. Der Verdacht, daß sie die Maske, unter der sie «die Rolle ihres Lebens» spielten, gerade durch die Niederschrift ihrer Selbstbiographie nicht vom Gesicht bekommen, wird beim Anblick der eben jetzt bestsellerisch wuchernden Memoirenliteratur erhärtet. Einer der wenigen Schriftsteller im heutigen deutschen Sprachbereich, die sich der Form der Autobiographie anvertrauten – er reicht stilmäßig und weltanschaulich bezeichnenderweise ins 19. Jahrhundert –, drückt immerhin seinen Zweifel an der Gattung im Titel aus, indem er angibt, sich selber darzustellen, «als wär's ein Stück von mir». Der Zweifel an der Erzählbarkeit eines Lebens, der als

Bewußtseinsschwerpunkt die Arbeit des Tagebuchautors bestimmt, deutet auf das gleiche Darstellungsproblem hin, das die moderne Geschichtswissenschaft zu bewältigen hat. Es ist – in der berühmten Einsteinschen Relativitätsmetapher ausgedrückt – das Problem eines Reisenden im fahrenden Zug, einen sich bewegenden Punkt im Gelände zu erfassen. Die Lösung des Problems beginnt mit der wissenschaftlichen Erkenntnis, daß die Fiktion eines festen Standpunktes als Ausgangspunkt einer Betrachtung aufzugeben sei. Die sich beständig verschiebende Perspektive des diaristischen Beobachters stellt damit die modernere und wissenschaftlich plausiblere Position dar als diejenige des Autobiographen, dessen starre Perspektive zu einer Verzerrung der Maßstäbe führen muß. Das Fragmentarische der Tagebuchdarstellung wird sich in letzter Konsequenz unter diesen Aspekten als stimmiger, da dem Anschauungsgegenstand gemäßer, erweisen, die Autobiographie – vom künstlerischen Standpunkt aus gesehen – dagegen als unzeitgemäß, weil sie die Fiktion der geschlossenen Darstellungsmöglichkeit in bezug auf den Erlebniskomplex des Lebens aufrechterhält. Neben der Relativität der Perspektive zwischen Betrachter und Anschauungsobjekt hat sich der Diarist auch mit dem viel schwierigeren Problem der Erfassung und der Darstellung des Begriffs «Zeit» zu befassen. Davon soll im nächsten Abschnitt die Rede sein.

3. Die diaristische Zeitauffassung

Im *Tagebuch 1946–1949* finden sich einige grundsätzliche Betrachtungen zum Zeitproblem, die zum Verständnis der Gattung «literarisches Tagebuch» wesentlich beitragen:

Die Zeit?
    Sie wäre [...] ein Zaubermittel, das unser Wesen auseinanderzieht und sichtbar macht, indem sie das Leben, das eine Allgegenwart des Möglichen ist, in ein Nebeneinander zerlegt; allein dadurch erscheint es als Verwandlung, und darum drängt es uns immer wieder zur Vermutung, daß die Zeit, das Nebeneinander, nicht wesentlich ist, sondern scheinbar, ein Hilfsmittel unserer Vorstellung, eine Abwicklung, die uns nacheinander zeigt, was eigentlich ein Ineinander ist, ein Zugleich, das wir allerdings

als solches nicht wahrnehmen können, so wenig wie die Farben des Lichtes, wenn sein Strahl nicht gebrochen und zerlegt ist.

Unser Bewußtsein als das brechende Prisma, das unser Leben in ein Nacheinander zerlegt, und der Traum als die andere Linse, die es wieder in sein Urganzes sammelt; der Traum und die Dichtung, die ihm in diesem Sinne nachzukommen sucht. (*T.* 22 f.)

Wenn wir wiederum auf unsere provisorische Formel vom Tagebuchschreiben als «Bewußtseinsstudie in der Zeit» zurückgreifen, so müssen wir uns diesmal der zweiten Komponente zuwenden. Es erweist sich, daß für den Diaristen das Zeiterlebnis unmittelbar zum existentiellen Darstellungsproblem wird. Der Romanschriftsteller kann die Begriffe «Geburt» und «Tod» als Klammern benutzen, zwischen die er die Lebensspanne einer Romanfigur einfaßt. Dem Tagebuchschriftsteller ist dieses Begriffspaar zur Zeitdarstellung unzugänglich, da er über sein Leben als Bewußtseinszustand schreibt. Geburt und Tod werden zu vegetativen, rein biologischen Begriffen ohne Erlebnisgehalt und sind daher nicht darstellbar. Die Erfahrung des Lebens als «Allgegenwart des Möglichen» bildet eine räumliche Metapher. Die Zeit wird, wiederum ähnlich wie bei Einstein, als Funktion des Raumes aufgefaßt. Das tritt auch in Frischs Bemerkung zutage, die Zeit verwandle uns nicht, sondern sie entfalte uns bloß, wobei dieses Entfalten als eine durch die Erfahrung bewirkte räumliche Ausweitung in der Allgegenwart des Möglichen gesehen werden kann. Dieser relativistischen, «Einsteinschen» Zeitauffassung steht das alte, gewissermaßen «Newtonsche» Zeitbild gegenüber, das den abstrakten Zeitbegriff zerlegt in ein Neben- und Nacheinander, in eine scheinbar logische Folge von gleichen Einheiten. Bei genauer Betrachtung jedoch erweist sich die Erfaßbarkeit der Zeit, ihre Meßbarkeit, als absurd. Der rinnende Sand im Stundenglas, der kreisende Zeiger, der Schatten der Sonnenuhr halten in fast religiöser Weise die Fiktion aufrecht, die lineare Anordnung von Zeitimpulsen mache die Zeit als Phänomen erfaßbar. Anstatt die Zeit aber wirklich zu messen, stellen sie nur einen regelmäßigen Bewegungsablauf innerhalb der Zeit dar. Das gleiche gilt auch für die zeitliche Dimension, die wir Vergangenheit nennen und mit Kalenderdaten und Jahreszahlen aufzuzeichnen suchen. Das künstlerische Zeitproblem des Tagebuchschreibers ist das Problem seines Zeitbewußtseins, das ihn einerseits veranlaßt, mit der Datierung seiner Tagebuchseiten der Fiktion der linearen Zeitstruktur zu folgen. Die Eintragungen, die in dieser Weise erfolgen, sind datierte Berichte, wobei die Datierung zur Namengebung für den Erlebnisbereich wird. Irgendein numerisches Datum wird dabei beispielsweise zu einem «Glückstag»; bei der Bezeichnung «Jahrestag» wird durch die zeitliche Benennung die Beschwörung des abstrakten Begriffs «Vergangenheit» angestrebt. Gerade von der Beobachtungswarte des Diaristen aus erscheint nun aber die Irrelevanz des linear-chronologischen Ablaufs in bezug auf sein Bewußtsein, denn er selber beginnt die Zeit mit anderen Mitteln als mit Uhren und Kalendern zu messen. Seine Maßeinheit wird das Erlebnis, das im Gegensatz zur chronologischen Zeit nicht gleich- und regelmäßig eintritt, sondern eine Frage der Konstellation, des *Kairos*, ist. Frisch unterscheidet in einer Kierkegaardschen Formulierung zwischen *Zeit* und *Vergängnis:*

... die Zeit, was die Uhren zeigen, und Vergängnis als unser Erlebnis davon, daß unserem Dasein stets ein anderes gegenübersteht, ein Nichtsein, das wir als Tod bezeichnen. Auch das Tier spürt seine Vergängnis; sonst hätte es keine Angst. Aber das Tier hat kein Bewußtsein, keine Zeit, keinen Behelf für seine Vorstellung; es erschrickt nicht über einer Uhr oder einem Kalender, nicht einmal über einem Kalender der Natur. Es trägt den Tod als zeitloses Ganzes, eben als Allgegenwart: wir leben und sterben jeden Augenblick, beides zugleich, nur daß das Leben geringer ist als das andere, seltener, und da wir nur leben können, indem wir zugleich sterben, verbrauchen wir es, wie eine Sonne ihre Glut verbraucht ... (*T.* 178 f.)

Die Kierkegaardsche Formel von der «Krankheit zum Tode» wird in Frischs Ausdruck «Vergängnis», den er zur Metapher seines Zeiterlebnisses erhebt, gewissermaßen zur klinischen Benennung zurückgekürzt: Frisch gibt Kierkegaards Krankheit den Namen, der ihr vom Bewußtseinsschwerpunkt des Diaristen aus zukommt, wobei Frischs Formel derjenigen Kierkegaards insofern überlegen ist, als sie zwar die Tödlichkeit des Bewußtseinszustandes einfängt, die Elemente des Leidens und der Erlösung, die bei Kierkegaard deutlich mit dem Lebensbegriff verbunden sind, jedoch ausspart. Kierkegaards Lebensformel stößt ins Transzendente vor. Frisch bleibt immanent[28].

Für den Erzähler und vor allem für den Beobachter seines

eigenen Bewußtseinszustandes wird die Erlebniszeit zum unbedingten Maßstabe. Im Erlebnis werden die linearen Anordnungen der chronologischen Zeitfolge aufgehoben, die Dimensionen der Vergangenheit und der Zukunft überwunden: Erlebnis findet immer nur in der Gegenwart statt. Dadurch, daß es aufgeschrieben wird, verlegt man es in die Vergangenheit und macht es gleichzeitig, durch die sprachliche Formulierung, zur Gegenwart. Gerade hier wird der chronologische Begriff der Vergangenheit in seiner Unzulänglichkeit sichtbar, denn ein Erlebnis, das zwanzig Jahre zurückliegt, kann durch die Erinnerung und sprachliche Fixierung genau so in die Gegenwart gehoben werden wie ein Erlebnis, das nur zwanzig Minuten zurückliegt. Durch den rein chronologischen Abstand verliert ein Erlebnis nicht an Relevanz für das gegenwärtige Bewußtsein. Es wird in der Allgegenwart des Möglichen zu einer Facette, in der das Wesen des Erzählenden sichtbar wird. Auch die Dimension der Zukunft kann aufgehoben und im Bewußtsein des Erzählers gegenwärtig werden in der Form einer Vision, des Traumes. Frisch nennt im *Tagebuch 1946– 1949* das Beispiel des Hellsehers, der aus dem Urganzen heraus sehen kann und dem das Mögliche zur Gegenwart wird; dem dadurch, daß es ihm gelingt, durch Trance das Bewußtsein auszuschalten, die Zerlegung des Erlebnisses in Ort und Zeit aufgehoben wird: «Daß in früheren Zeiten, wie man immer wieder behauptet, das Seherhafte in höherem Grade vorkam, vor allem auch öfter, würde insofern nicht überraschen; es waren Zeiten minderen Bewußtseins.» (*T.* 24)

Der dichterische Gestaltungsakt ist erlebnismäßig dem Traum verwandt. Hier kann der Schriftsteller aus dem Urganzen sehen und über die Allgegenwart des Möglichen souverän verfügen, dadurch, daß er das Bewußtsein des *hic et nunc* ausschaltet. Sein Sprachwerk wird reine Fiktion; beim Tagebuchautor wird, wie wir später sehen werden, das Bewußtsein der Seinslage durch das Bewußtsein der Fiktionalität abgelöst, da er die chronologische Zeitfolge neben der Erlebniszeit beibehält und sie, als Katasterplan, als stellvertretendes Ordnungsprinzip verwendet. Ein klassisches Beispiel für dieses Nebeneinander der beiden Zeitbegriffe findet sich in den Tagebüchern Musils und Kafkas, wobei bei letzterem bekanntlich gerade die «Kapitel» seiner Romane einem chronologischen Ordnungsprinzip zum Opfer gefallen sind. Kafkas rein fiktionale Erzählungen sind integrierende Bestandteile seiner Tagebücher, sind Zeichen für die Aufhebung des Bewußtseins, für das dichterische Erfassen der Allgegenwart des Möglichen. Vom traditionellen ästhetischen Standpunkt aus gesehen, erfüllt die Einordnung dieser visionären Elemente in die Genreform das Bedürfnis nach Scheidung von «fiction and nonfiction». Für den Diaristen ist dieser Unterschied allgegenwärtig als Ausdruck seines zweigeteilten Zeitempfindens. Dieses Zeitempfinden teilt sich überall dort unmittelbar mit, wo der moderne Diarist reine Fiktion zur erzählerischen Großform oder zum Drama gestaltet. Die diachronische Zeitdarstellung in der Dichtung der Gegenwart, die sich, historisch gesehen, als schärfste Abkehrung von der chronologisch-linearen Zeitanordnung der realistischen Romantradition erweist, findet im modernen literarischen Tagebuch Erklärung und Bestätigung. Es erweist sich letzten Endes, daß die chronologische Ordnung dem Schriftsteller geradezu als Unredlichkeit, ja als Lüge erscheint und damit der Forderung nach Wahrhaftigkeit als Kunstprinzip widerspricht. Musil spottet im *Mann ohne Eigenschaften* darüber, daß wir durch diese Ordnung in ein Nacheinander den untauglichen Versuch unternähmen, eine Ordnung des Sinns oder eine Ordnung der Erlebnisabfolge zu erreichen. Die Zeit *muß* übersprungen werden, wenn es um Wahrhaftigkeit der Erzählung geht. Die schlaue Naivität der linearen Zeitfolge, die gewissermaßen behauptet, der Erzähler wisse nicht, was nachher komme, erweist sich als Berechnung, als eine usurpierte Position der Allwissenheit. Dazu steht im *Tagebuch 1946–1949*:

... wir schreiben Romane, als stünde noch immer eine Sanduhr neben uns, als hätten wir nach allem, was an unheimlicher Erkenntnis zugestoßen ist, einen durchaus handlichen und sicheren Begriff von der Zeit, einen unerschütterten Glauben an Ursache und Wirkung; wir schreiben Sonette, die aufgehen, wie unser Denken leider nicht aufgeht, Sonette, als wüßte der Schreiber auf die Zeile genau, wo der Mensch aufhört, wo der Himmel beginnt, wo Gott und der Teufel sich reimen; auf alles reimt sich sein Sonett, nur nicht auf sein Erlebnis, und vielleicht kommt es daher, daß es ihm so leicht fällt [...] Wir haben eine Quantenlehre, die ich nicht verstehe, und keiner ist aufzutreiben, der alles zusammen versteht, keiner, der unsere ganze Welt in seinem Kopf trüge; man kann sich fragen, ob es überhaupt eine Welt ist. Was ist eine Welt? Ein zusammenfassendes Bewußtsein. Wer aber hat es? Wo immer ich frage, es fallen die Wände ringsum, die vertrauten und sicheren, sie fallen einfach aus unserem Weltbild heraus, lautlos, nur die Andorraner schreiben noch immer auf diese Wände, als gäbe es sie, immer noch mit dem Anschein einer Vollendung, die in der Luft hängt [...] All unsere Kunst, je mehr sie in diesem Sinne gelingt, ist es nicht immer, als hätte sie ein archaisches Lächeln über sich selbst? ... (*T.* 120f.)

4. Der diaristische Erlebnisbereich

In modernen Tagebüchern, wie zum Beispiel denjenigen von Kafka, Musil, Jünger, Gide und Frisch, fällt als gemeinsames Phänomen auf, daß sich reine Erlebnisberichte, Beobachtungen, Reiseschilderungen auf der einen und fiktionale Skizzen, die oft ohne Zusammenhang mit den «realistischen» Berichten scheinen, auf der andern Seite ungefähr die Waage halten. Was zunächst rein äußerlich als Eigenart eines Künstlertagebuchs erscheint und die oft genannte Funktion des Tagebuchs als Ideenmagazin oder als Werkstatt des Schriftstellers äußerlich bestätigt, muß – ebenfalls wieder von außen her – gleichzeitig als Stilbruch, als Verquickung zweier, vom Standpunkt der «reinen» Literatur aus gesehen, ungleicher Sprachebenen gesehen werden. Dies führt zum zentralen Problem der Fiktionalität des Tagebuchs, von der im Kapitel 7 die Rede sein soll. Zunächst wollen wir die Fage zu klären suchen, weshalb vom Standpunkt des Tagebuchführers aus diese Verquickung unbedingt erforderlich ist.

Ausgangspunkt für diese Untersuchung soll wiederum die Frage des Zeitbewußtseins sein. Wie wir gesehen haben, gilt dem Schriftsteller das chronologische Zeitmaß, ausgedrückt in den Kalenderdaten seines Tagebuchs, nur als Hilfsschema, als grober Raster, den er über das Erzählwerk des Tagebuchs legen muß, um ein äußerliches Ordnungsprinzip aufrechtzuerhalten. Das eigentliche Erzählen dagegen geschieht im dreidimensionalen Zeitraum, in dem das Erlebnis von Vergängnis die Regeln der linearen Chronologie aufhebt. Der Katasterplan der Chronologie macht übersichtlich, aber er trifft das Erlebnis nicht, denn dieses entzieht sich auf geheimnisvolle Weise jedem Versuch, es durch genaue Datierung einzufangen. Es geht hier um die Grundsatzfrage, wie sich der Schriftsteller den Vordergrundsereignissen des Tages gegenüberstellt, um die Frage, wie er erkenntnismäßig die Vorgänge, die ihm durch die verschiedenartigsten Übertragungsmedien zugespielt werden, in sein Bewußtsein einbaut und in Sprache umwandelt. Wenn wir von der existentiellen Situation des Diaristen ausgehen und uns vergegenwärtigen, daß sein Problem eben gerade die Darstellung seines Bewußtseinszustandes ist, so können wir einen Ansatzpunkt für diese Frage finden. Der Schriftsteller wird zur Erkenntnis kommen, daß es zwei Arten von Ereignissen gibt, einmal diejenigen, die er zwar zur Kenntnis nimmt, die jedoch an ihm abgleiten und aus seinem Bewußtsein verschwinden, zum anderen diejenigen, «die ihn etwas angehen». Nur die letztere Art wird den Weg in sein Tagebuch finden. Die Tatsache, daß er sie überhaupt erwähnenswert findet, hängt mit der Komplexität seiner geistigen Persönlichkeit zusammen. Wir erinnern uns an Frischs strenge Ablehnung aller Abstraktionen und Ideologien. Mit dieser Position ermöglicht er sich recht eigentlich den Zugang zur bewußtseinsmäßigen Selbstdarstellung innerhalb des Tagebuchs, denn diese ist nur möglich, wenn auf den durch eine ideologisierte Weltanschauung erzwungenen rationalen Gesichtspunkt der Erlebnisauslese verzichtet wird. Dies schließt nun allerdings nicht aus, daß die «wertfreie» Auslese von «relevanten» Ereignissen einseitig sein kann. Sie ist, wie sich strukturmäßig deutlich zeigt, durch gewisse Leitmotive und -themen geprägt. Frisch selber spricht vom «radikal gleichen Thema», das in seinem Werk, wenn es nicht radikal mißlingen wolle, immer wieder auftrete. (*Bienek* 30) Dem Diaristen wird mit Beschränkung der Erlebnisfähigkeit, die sich in der leitmotivhaften Thematik des Niedergeschriebenen äußert, einmal mehr die Unhaltbarkeit der Allwissenheitsposition deutlich. Rein äußerlich gesehen, erscheint das radikal gleiche Thema als Wiederholung, als Versuch, durch Wiederaufgreifen einer gewonnenen Erkenntnis unter Beifügung neuer Erlebniselemente zu einer neuen Analyse oder Synthese zu gelangen. Dieses Element der Wiederholung bleibt im Tagebuch sichtbar. Der ständige Ansatz, die deutliche Bemühung, einen Anschauungsstoff geistig zu bewältigen, wirkt im Rahmen des Tagebuchs wie die Probe eines Theaterstücks, das nie zur Uraufführung gelangt, wie eine Anprobe auch von Kleidungsstücken. Es sei in diesem Zusammenhang auf die Vorliebe Frischs für den Ausdruck «es stimmt» hingewiesen. Darin enthalten ist die Erkenntnis einer gleichen Gesetzlichkeit, einer Übereinstimmung zwischen Ganzem und Detail, die sich im Erlebnisbereich des Tagebuchs im oben erwähnten Kunstprinzip der Wahrhaftigkeit manifestiert. Paradoxerweise kann sich die Stimmigkeit, die Wahrhaftigkeit auch in Irrtümern zeigen, die von einer späteren Schau als solche erkannt und korrigiert werden, denn gerade im Relativismus, der als solcher erkannt und als einzig möglicher Gesichtspunkt akzeptiert wird, ergibt sich die Stimmigkeit des Anschauungsobjekts – der gesamthaft unerfaßbaren Welt – mit dem Betrachter – dem Tagebuchautor, der im bewußten Verzicht auf eine abstrakte Deutung seines Daseins sich des Schwebenden seines Zustandes bewußt ist. Das Ereignis, das ihm auffällt, das er sprachlich in seinem Tagebuch verarbeitet, bleibt Fragment, Mosaikstein, Erlebnismuster, von dem er nicht genau sagen kann, wie es ihn erreicht, warum es sein Interesse erweckt. Dem Ausdruck «Interesse», der innerhalb des Tagebuchs als Bezeichnung für den Zustand der Aufnahmefähigkeit für Erlebnismuster gesehen werden kann, steht nun das Prinzip des Zufalls zur Seite, dem wir später einen besonderen Abschnitt widmen müssen.

5. Die Sprache des Tagebuchs

Die Eigenart des Tagebuchs gebietet eine im knappsten Rahmen gehaltene Diktion. Diese durch äußere Bedingungen geschaffene Raffung der Aussage kommt einer weiteren Tendenz der Gegenwartsliteratur entgegen, die ihr Mißtrauen an der Tragfähigkeit des übernommenen Sprachmaterials durch einen bisweilen ins Fragmentarisch-Skizzenhafte geratenden Sprachstil ausdrückt. Was den Autoren von heute Notwendigkeit ist, ist dem Tagebuch Natur. Der Schriftsteller, der zum Tagebuch greift, will ihm wichtig erscheinende Gedanken, außergewöhnliche Erlebnisse rasch fixieren, bevor sie sich verflüchtigen. Dies zwingt ihn zu einer Konzentration der Aussage, die den Tagebuchskizzen oft die Prägnanz von Kurzgeschichten und Anekdoten geben kann. Offensichtlich unter dem Eindruck der durch das Tagebuchschreiben von ihm geforderten Sprachbehandlung gelangt Frisch in einer seiner Eintragungen zu einer allgemeinen Einsicht, die Forderungen der Sprachkunst betreffend:

Unser Streben geht vermutlich dahin, alles auszusagen, was sagbar ist; die Sprache ist wie ein Meißel, der alles weghaut, was nicht Geheimnis ist, und alles Sagen bedeutet ein Entfernen. Es dürfte uns insofern nicht erschrecken, daß alles, was einmal zum Wort wird, einer gewissen Leere anheimfällt. Man sagt, was nicht das Leben ist. Man sagt es um des Lebens willen. Wie der Bildhauer, wenn er den Meißel führt, arbeitet die Sprache, indem sie die Leere, das Sagbare, vortreibt gegen das Geheimnis, gegen das Lebendige. Immer besteht die Gefahr, daß man das Geheimnis zerschlägt, und ebenso die andere Gefahr, daß man vorzeitig aufhört, daß man es einen Klumpen sein läßt, daß man das Geheimnis nicht stellt, nicht faßt, nicht befreit von allem, was immer noch sagbar wäre, kurzum, daß man nicht vordringt zu seiner letzten Oberfläche. (T. 42)

Wir erinnern uns an Goethes spöttische Bemerkung über das «Vollschreiben eines Kalenders». Was *sui generis* für Goethe als Literatur nicht in Frage kam, tritt dennoch aus kompositionellen Gründen als Stilelement im *Werther* und im *Wilhelm Meister* zutage. Der moderne Tagebuchschreiber, der wie Frisch die Literaturfähigkeit dieser Form bejaht, geht von dem den «künstlichen Tagebüchern» eigenen Sprachstil aus und macht die stilistischen Einsichten, die er vermittelt, zur Grundlage für sein künstlerisches Gesamtschaffen. Wir haben schon darauf hingewiesen, daß Frischs Sprache nach den *Blättern aus dem Brotsack* eine deutliche Änderung erfährt, daß gewisse Lyrizismen verschwinden[29] und einer nüchtern-präzisen Aussage weichen, bei der nun wirklich kein Wort mehr überflüssig erscheint. Frisch hat damit seine eigene dichterische Sprache erlangt.

Es läßt sich natürlich darüber streiten, ob Frisch schon bei der ersten Entdeckung der sprachlichen Möglichkeiten des

Tagebuchs sich des seit dem *Chandos-Brief* bestehenden Prozesses der Zurücknahme der Sprache durch den Dichter selbst, des Streichens ganzer Metaphernkataloge und der dadurch bewirkten Verknappung der Sprachbilder, bewußt gewesen ist. Sicher ist, daß er im Fortschreiten seines Werkes die Zusammenhänge einsah und in der telegrammartig verkürzten Sprache des Tagebuchstils eine mögliche Antwort auf die künstlerische Problematik des Tages erblickte.

Wenn wir bei Frisch von der Wahrhaftigkeit als von einem Kunstprinzip gesprochen haben, so tritt dieser Umstand gerade in dem Beschreibungsmetaphern und bildhafte Analogien vermeidenden Sprachstil des Tagebuchs deutlich hervor. Die Beschreibung eines Erlebnismusters erfolgt skizzenhaft. In der folgenden Reflexion wird bereits abstrahiert. In beiden Fällen ergibt sich eine Disziplin der Aussage, die das Gefühlsmäßige scheinbar völlig beiseite läßt. Dieser Eindruck kommt indessen nur durch den oben geschilderten Reduktionsprozeß zustande, durch das «Wegmeißeln» des rein Rhetorischen, der Floskel, des Fülladjektivs, dessen Prägnanz vom Dichter angezweifelt wird. Die resultierende «Nüchternheit», die von Frisch als eine gewisse Leere bezeichnet wird, drückt in keiner Weise etwa den Gefühlszustand des Schriftstellers aus. Seine Sprache deutet vielmehr in ihrer Sprödigkeit die Grenze des Geheimnisses an. Die dichterische Leistung besteht in der äußersten Reduktion des noch Sagbaren, im sprachlichen Abgrenzen des Unsagbaren: «Was bleibet, aber, stiften die Dichter.»

Der Sprachpuritanismus, der hinter dieser Aufgabenstellung des Schriftstellers erscheint, weist in mehreren Beziehungen Parallelen mit den Anliegen der christlichen Reformation auf. Das Lutherische «Das Wort sie sollen lassen stan» wird in einer ganz unreligiösen Weise wieder lebendig, indem es sich gegen die Überwucherung der elementaren Aussagekraft durch ausschmückende Beiwörter wendet, die im kulturanthropologischen Prozeß des deutschen Schrifttums die Konvention des gängigen Ausdrucks, das vage Modewort, an die Stelle der elementaren Aussagekraft der Sprache gesetzt hat, deren Sinn in der Annäherung, nicht in der Beschreibung besteht. Die «neue» Sprache wird karg, aber wahrhaftig. Sie gibt nicht mehr, als sie ihrem Charakter als Symbol der Mitteilung nach geben kann. Sie prüft sich ständig selbst in einer unerbittlichen Selbstbezichtigung, die strukturellen, aber auch historischen Einsichten entspringt. Hinter der Auffassung, daß es die Aufgabe des Dichters sei, die Spannung zwischen den Zeilen zu schaffen, läßt sich eine strukturalistische Auffassung der Beziehungssysteme innerhalb einer Aussageeinheit erkennen. Die historisch-kulturanthropologische Erkenntnis, daß Wertmaßstäbe einer Sozietät dem Gesetz der Relativität im Sinne einer funktionellen Anpassung an die gegebenen Zeitverhältnisse unterworfen sind, drückt sich in der Überprüfung der inneren Wahrhaftigkeit des sprachlichen Bildes aus. Frisch sagt darüber:

Es ist nun nicht einfach so, daß das Gefühl ausfällt. Es flüchtet sich vielmehr immer weniger in die Metapher. Material, möglichst genau bezeichnetes Material wird so arrangiert, so zusammengesetzt, so in eine Collage gebracht, daß zwischen den Aussagen der Gefühlswert entsteht, aber daß der Gefühlswert selber nicht ausgesprochen oder zerschwätzt wird, was mir die poetischere Form zu sein scheint [...] Es ist der ganze Zweifel an der Metapher, der die neue Literatur befallen hat, und mit Recht befallen hat, weil der größte Teil der Metaphern außerordentlich unstimmig ist. Die Metapher vergleicht etwas Ungenaues mit etwas noch Ungenauerem und kommt damit zu gar nichts als zu einer leicht schwulstigen Überhöhung. (*I.* 11/12)

Der Prunk der «dichterischen» Metaphernsprache der Tradition wird entlarvt als Pseudopoesie: «... Es geht nicht ohne jeden metaphorischen Überrest. Aber was dann nicht mehr geht, weil es einfach nichtssagend ist, sind billige Metaphern, sagen wir einmal ‹der Brunnen der Zeit›, ‹der Strom der Zeit›, wobei dem Strom und der Zeit etwas sehr Oberflächliches gemeinsam ist und sehr vieles eben nicht [...] Nüchternheit heißt natürlich nicht, daß nicht ein Gefühlsimpetus dahinter steht, der dazu drängt, eine Sache darzustellen, aber daß das Gefühl nicht geschwätzt wird, sondern daß es hergestellt wird durch Material. Es gibt einfach vieles, was man dann nicht mehr sagen kann ...» (*I.* 12)

Die «poetische Metapher», und hier treffen wir schon wieder auf eine reformatorische Parallele, wird als falsches Bild empfunden, das den Einblick ins Geheimnis verwehrt. «Wir werden vielleicht auch wieder zur Metapher kommen, aber die Phase seit fünfzig Jahren ist vergleichbar mit einem Bildersturm, insofern, als die falschen und die allzu leicht und fälschlich überzeugenden Bilder mal heruntergeholt werden zur kahlen Wand, und dann entstehen neue Metaphern.» (*I.* 12)

Frisch nennt den Sündenfall der Literatur der Moderne, gegenwärtige Dinge mit Sprachbildern aus dem Erlebnisbereich der Väter und der Großväter verdeutlichen zu wollen, «reine Heraldik». Die alten Bilder, so entdecken die modernen Schriftsteller, weisen zu eigenen Erfahrungen nicht einmal eine Teilkongruenz auf: «Dadurch, daß die Metaphern gefallen sind und Poesie werden, bleiben sie museal stehen [...] als ob ich etwas vergleichen würde mit Ihrem Gefühl in einer mittelalterlichen Ritterrüstung. Woher haben Sie dieses Gefühl? Das kennen Sie ja gar nicht. Nur aus der Literatur. Also können, wenn dieser ganze Kram weggeräumt ist [...] Metaphern entstehen, die wirklich eine Deutungskraft haben, indem sie aus dem neuen Erfahrungsbereich kommen.» (*I.* 12/13)

Indirekt ergibt sich auch aus diesen Äußerungen eine Anklage gegen die «Beschreibungsliteratur», die jene bezichtigt, sich in einer Art Historismus der Sprachüberlieferung verstrickt und die Dialektik zwischen Erfahrungsbereich und sprachlichem Sinnbezug übersehen zu haben und dadurch aus dem Lebendigen ins Museale abgeglitten zu sein.

Wenn wir uns wiederum der Form des modernen literarischen Tagebuchs zuwenden, können wir erkennen, daß die genannte Dialektik zwischen Erfahrungsbereich und Sinnbezug in der diaristischen Sprachgestaltung ständig und bewußt erhalten bleibt. Die Metapher ist sich, gerade indem sie dort vorläufig skizzenhaft hervortritt, ihrer relativen Aussagekraft immer bewußt. Sie will nie mehr sein, als sie ist, sprachliches Hilfsmittel, Annäherungswert an eine tönende Grenze.

6. Die Struktur des Tagebuchs

Im Kapitel über die Zeitauffassung des Tagebuchschreibers sind wir bereits auf die Unterscheidung der chronologischen, der «Uhrzeit» im Gegensatz zur Erlebniszeit gestoßen und haben erkannt, daß beide Zeitauffassungen, sich ergänzend, im Tagebuch ihren Ausdruck finden. Daraus ergibt sich ein struktureller Ansatz, der das Tagebuch als Kunstform auszeichnet. Der äußere Umstand der Datierung der einzelnen Tageseintragungen ergibt den Kalenderraster, der wie ein optisch erkennbares Zeitnetz über das Ganze gespannt wird als äußerlich sichtbarer Rahmen, als Grenzbereich des schriftstellerischen Bewußtseinseintritts und des Bewußtseinsendes. Gerade diese Struktur nun erweist sich bei der Besinnung auf das Element der Erlebniszeit als außerordentlich vage, denn das Anfangsdatum markiert ja keineswegs den Beginn eines bedeutenden Prozesses, ebensowenig wie das Datum der letzten Eintragung etwa einen epochalen Abschluß bedeuten kann. Ähnlich steht es mit örtlichen Fixierungen, die die zeitlichen begleiten. Wir finden beispielsweise im *Tagebuch 1946–1949* genaue Ortsangaben, wie «Zürich, Café de la Terrasse», die sich jedoch ablösen mit allgemeineren, wie «Basel», «Breslau», «Arles», und schließlich auch mit völlig unbestimmten, wie «Unterwegs», «Am See», «In der Bahn». Es wird damit deutlich, daß es sich nicht um die Stationen eines auf der Karte verfolgbaren «Lebenswegs» handelt, ebensowenig wie die Daten *a pilgrim's progress* bedeuten. Die Zufälligkeit dieser äußerlichen Eintragungen scheinen somit zur Deutung eines Strukturgesetzes innerhalb des Tagebuchs wenig geeignet. Erst wenn wir sie in ihrer Gesamtheit betrachten, das heißt, wenn wir auch die weder örtlich noch zeitlich fixierten Titel, wie «Zur Schriftstellerei», «Drei Entwürfe eines Briefes», «Marion und die Marionetten», «Der andorranische Jude» usw., einbeziehen, die Reflexionen und fiktionalen Skizzen also, tritt allmählich eine Struktur hervor, die wir als Sinnzusammenhang zwar nicht der einzelnen Teile, aber einer Gesamtidee erkennen können.

Die äußeren Gründe, die den Dichter bewogen, sein Tagebuch an einem bestimmten Tag zu beginnen und es an einem anderen Tage vier Jahre später abzuschließen, oder vielmehr wegzulegen, liegen im Dunkel des Privaten. Wir kommen ihnen mit Erklärungen wie «Beichte», «Ventil», «Spiegel», «Zuchtrute» usw. [30] nicht bei, und sie erweisen sich auch in der Folge als irrelevant, denn was wir als Ergebnis vor uns haben, das Tagebuch als Kunstform, überzeugt nicht als Geschichte, die zu Ende gedacht, nicht als Drama, das vor unseren Augen abrollt und nach einer Klimax sich auflöst, sondern von einer inneren Übereinstimmung her, die eine äußere Formgebung, eine Kunststruktur nicht braucht. Diese würde sich vielmehr als störend, als künstlich und erzwungen erweisen, denn nach unseren bisherigen Erkenntnissen behandelt das Tagebuch eben nicht das Leben und die Schicksale eines Ich-Erzählers, sondern schildert das Erlebnis des Ich-Erzählens. Um es pointiert auszudrücken: Das Tagebuch erzählt das Erzählen. Es geht dem Autor nicht darum, zu zeigen, «was erlebe ich», sondern «wie erlebe ich etwas[31]», wobei die Beliebigkeit des einzelnen Erlebnismusters immer deutlich werden muß, auch wenn es sich um eine entscheidende Begegnung – im vorliegenden Falle etwa diejenige mit Brecht – handelt oder wenn der Betrachter als Zeuge einem welthistorischen Ereignis beiwohnt. Wenn wir uns gleichzeitig an Frischs Erkenntnis halten, daß «jede Geschichte eine Erfindung und daher auswechselbar» sei, so finden wir die Bestätigung für die Irrelevanz der im Tagebuch dargestellten Erlebnisse in bezug auf einen strukturschaffenden «roten Faden». Es gibt im Tagebuch keine Handlung, sondern nur Skizzen, Entwürfe, die sich nicht auf eine große Gesamtschau zu bewegen. Indessen kann auch eine Systematik des Sammelns von Skizzen, von Eintagseindrücken, als Strukturansatz eines Ganzen verstanden werden. Besonders aus den diaristischen Reflexionen ergäbe sich dann eine Sammlung von Fragmenten, die zwar im einzelnen isoliert erscheinen, im ganzen aber doch prononciert das Abbild eines Denkprozesses in seiner individuellen Struktur ergeben würden. Das Unbedingte, das Greifbare solcher Entwürfe erweist sich in der Kristallisierung eines Gedankens in seine sprachliche Form. Er wird Geschichte im doppelten Sinn des Wortes. Er wird irreversibel, kann nicht mehr zurückgenommen werden. Die bewußte Haltung des Tagebuchschreibers aber hindert ihn, sich absolut zu geben, einen Bedeutungsgehalt einzunehmen, der als verbindlich, als didaktisch empfunden werden müßte. Eine falsche Wahrheit würde vorgetäuscht, ein Abschließendes, das nicht mehr überboten werden könnte, nur noch widerlegt: «Es ist leicht, etwas

Wahres zu sagen, ein sogenanntes Aperçu, das im Raum des Unbedingten hängt; es ist schwierig, fast unmöglich, dieses Wahre anzuwenden, einzusehen, wieweit eine Wahrheit gilt. (Wirklich zu sein!)» (*T.* 229)

Die aphoristische Skizze muß offen bleiben, unbestimmt, sich ihrer subjektiven Beschränkung bewußt: «Aphoristik als Ausdruck eines Denkens, das nie in einem wirklichen und haltbaren Ergebnis endet, es mündet immer ins Unendliche, und äußerlich endet es nur, weil es müde wird, weil die Denkkraft nicht ausreicht, und aus bloßer Melancholie, daß es so ist, macht man Kurzschluß, das Ganze als eine Taschenspielerei, um ein Unlösbares loszuwerden, indem man sich einen Atemzug lang nicht weiterfragt, und wenn man es später bemerkt, daß man nichts in der Hand hat als einen Knall, dann ist der Taschenspieler schon nicht mehr da – allenfalls bleibt noch die Verblüffung, daß das Gegenteil seiner Aussage, die uns eben verblüfft hat, nicht minder überzeugt; natürlich gibt es auch Aphorismen, die nicht einmal stimmen, wenn man sie umkehrt.» (*T.* 119) Die Schwierigkeit der offenen aphoristischen Skizze im Tagebuch besteht demnach darin, daß sie eine parabolische Abrundung vermeidet, die ihr eine ungewollte didaktische Aussage aufzwingen würde, welche nicht der Einsicht und Überzeugung des Autors, sondern aus einem formbewußten Vollendungsbedürfnis erwachsen würde. Damit wäre das Kunstprinzip der Wahrhaftigkeit durchbrochen. Am Ende des skizzenhaften Entwurfs soll niemals die Antwort, immer die Frage stehen. Der Aphorismus soll Fragment im Fragment bleiben, um vom Ganzen gesehen stimmig zu sein.

Innerhalb der Kategorie der Ich-Erzählungen stellt somit das literarische Tagebuch die Form des Fragmentes *per se* dar. Seine Rechtfertigung als Kunstwerk erwächst aus der künstlerischen Handhabung der fragmentarischen Struktur an sich. Im *Tagebuch 1946–1949* bekennt sich Frisch grundsätzlich, ja leidenschaftlich zu dieser Struktur des Offenbleibens als zur einzigen zeitgemäßen verantwortlichen Kunstform:

Wahrscheinlich kommt es darauf an, was wir im Augenblick dringender brauchen, Abschluß oder Aufbruch, Befriedigung oder Anregung. Das Bedürfnis wechselt wohl von Mensch zu Mensch, ebenso von Lebensalter zu Lebensalter, und auf eine Weise, die man gern ergründet sähe, hängt es auch mit dem Zeitalter zusammen. Mindestens ließe sich denken, daß ein spätes Geschlecht, wie wir es vermutlich sind, besonders der Skizze bedarf, damit es nicht in übernommenen Vollendungen, die keine eigene Geburt mehr bedeuten, erstarrt und erstirbt. Der Hang zum Skizzenhaften, der unsere Malerei schon lange beherrscht, zeigt sich auch im Schrifttum nicht zum erstenmal; die Vorliebe für das Fragment, die Auflösung überlieferter Einheiten, die schmerzliche oder neckische Betonung des Unvollendeten, das alles hatte schon die Romantik, der wir zum Teil so fremd, zum Teil so verwandt sind. Das Vollendete: nicht gemeint als Meisterschaft, sondern als Geschlossenheit einer Form. Es gibt, so genommen, eine meisterhafte Skizze und eine stümperhafte Vollendung, beispielsweise ein stümperhaftes Sonett. Die Skizze hat eine Richtung, aber kein Ende; die Skizze als Ausdruck eines Weltbildes, das sich nicht mehr schließt oder noch nicht schließt; als Scheu vor einer förmlichen Ganzheit, die der geistigen vorauseilt und nur Entlehnung sein kann; als Mißtrauen gegen eine Fertigkeit, die verhindert, daß unsere Zeit jemals eine eigene Vollendung erreicht. (*T*. 118/19)

Wie es sich schon bei dem Begriffe der Wahrhaftigkeit erwiesen hat, wandeln sich bei Frisch ethische Begriffe in Kunstforderungen, die er als Ausgangspunkte für die Formgebung verwendet. In der Wahl des Fragments zeigt sich das ehrliche Eingeständnis, die Antworten nicht zu kennen, sich als Fragender, nicht als Prophet vorzustellen. Es ist ein Gebot der Höflichkeit dem Leser gegenüber, sich nicht als Wissender, als Überlegener zu zeigen, wo man selber ratlos ist. Der Kunstbegriff des abgeschlossenen Aphorismus, der parabolischen Fabel, wird als eine Vorspiegelung falscher Tatsachen entlarvt, als Unhöflichkeit. Frisch meint, die Bücher, die zum Widerspruch reizten, seien diejenigen, die zuweilen am meisten fesselten, indem der Leser in ihnen den Reichtum der eigenen Gedanken entdecken dürfe: «Die abgeschlossene Form verpflichtet, sie bereichert nicht.» Sie ist exklusiv im elementaren Begriff des Wortes. Ein Buch, das auf die Vollendung der Form achtet, läßt letzten Endes den Leser unbefriedigt: «Es mag vollendet sein, gewiß, aber es ist verstimmend. Es fehlt ihm die Gabe des Gebens. Es braucht uns nicht.» (*T*. 117)

Die sokratische Ehrlichkeit, die sich aus dem Bekenntnis zum Unvollendbaren, zum Fragment, ergibt, die sich im Verzicht auf starre Denkmodelle und Dogmen erweist, trägt dem Autor den Vorwurf der Prinzipienlosigkeit ein[32]. Dieser Vorwurf wird aber nur von einer formbewußten Literaturkritik erhoben, nicht vom Leser. «Ich schreibe für Leser», sagt Frisch und meint damit wohl nicht jene Leser, die sich in seinen Werken «Trost bei Frisch» erhoffen, sondern jene unglücklichen Fresser am Apfel der Erkenntnis, die dem Geheimbund der ewig Fragenden, der um des Lebens willen Unzufriedenen angehören. Ihnen eröffnen die Skizzen des Tagebuchs jene innere Struktur, die ihr eigenes Wesen, die von ihnen selbst erlebte Wirklichkeit widerspiegelt und die sich dem heraklitischen Prinzip des ewig Fließenden, von Dauer im Wechsel annähert.

7. Die Fiktionalität des Tagebuchs

Im als «Werkstattgespräch» bekannten Interview mit dem deutschen Schriftsteller Horst Bienek spricht Frisch vom Tagebuch als literarischer Form, die er «für sich entwickelt habe», und vom *Tagebuch 1946–1949* insbesondere als von einem Stück Literatur, «... das über ein Logbuch der Zeitereignisse hinausgeht, das die Wirklichkeit nicht nur in den Fakten sucht, sondern *gleichwertig* in Fiktionen ...». (*Bienek* 26; für das vollständige Zitat siehe Seite 82.) Behauptung der Gleichwertigkeit von Faktenschilderung und reinen Fiktionen rührt nun an das zentrale Problem der Fiktionalität des Tagebuchs, der wir uns in der Folge zuzuwenden haben.

Bei der Behauptung des Schriftstellers, er habe mit dem Tagebuch eine literarische Form erstrebt und für sich erarbeitet, erhebt sich sogleich die Grundsatzfrage, ob eine solche Form überhaupt gattungsmäßig als Literatur bezeichnet werden könne. Wir haben in der Einleitung darauf hingewiesen, wie in der Regel diese Form *a priori* als literarisches Nebenprodukt im Gesamtwerk eines Autors gewertet und selten als künstlerisch autonome Schöpfung eingestuft wird. Mit anderen Worten: Im Nachruhm eines erfolgreichen Schriftstellers findet wohl auch sein Tagebuch einen Ehrenplatz – wie etwa auch die Briefe und Reden – um der Abrundung willen, nicht aber weil es als Literatur ernst genommen wird. Die willkürliche, durch die bürgerliche Bildungstradition erwirkte Unterscheidung zwischen «hohen» und «niederen» Formen, zwischen «Dichtung» etwa auch und bloßer «Literatur», läßt die Frage der künstlerischen Qualität der individuellen Texte außer acht. Die Begabung eines Künstlers drückt sich aus in der Handhabung der Form, die er als Medium seiner Aussage wählt, und nur dort. Daß dabei das Medium wichtiger wurde als die Aussage, ist nicht die Schuld des Künstlers, sie deutet lediglich auf ein Auseinanderklaffen zwischen Kunsttheorie und Praxis hin, das von seiten der Theorie, gerade wenn es um die Anerkennung von Experimenten mit «niederen» Formen geht, sich häufig in einer schroffen Ablehnung der Gegenwartsliteratur äußert, von der man die Erfüllung von Werten fordert, die man der Vergangenheit abgerungen hat. Vor dem apodiktischen «Das ist Kunst, und jenes ist keine» versiegt das Verständnis für Neubildungen, die sich aus künstlerischer Notwendigkeit ergeben und die im übrigen von den Künstlern selbst ausführlich begründet werden. Die Kritik wird eingeladen, zu entscheiden, ob sich die Ausführung eines Entwurfes mit der Begründung vereinbaren läßt, ob die künstlerische Formgebung, rein von Entwurf und Ausführung her, überzeugt. Das Modisch-Kurzlebige wäre schon in der Begründung des Künstlers erkennbar und somit von der Kritik zu erfassen.

Was nun die sogenannte dichterische Sprache anbetrifft, so werden die Positionen noch schroffer, die Ansichten klaffen noch weiter auseinander. Die Tendenz – wenigstens im deutschen Sprachbereich –, die «dichterische» Sprache mit der Sprache der Lyrik gleichzusetzen, dürfte spätestens seit der Verssprache des Expressionismus als überwunden gelten. Unter anderem hat der deutsche Expressionismus eine drastische Veränderung der dichterischen Metaphorik mit sich gebracht, die, sehr zum Leidwesen idyllebezogener Ästheten, aus der modernen Poesie nicht mehr wegzudenken ist.

Die Frage der Fiktionalität hingegen schien bisher zu keinem Streit Anlaß geben zu können. Zu deutlich glaubte man unterscheiden zu können zwischen Bericht, Reportage, «Tatsachenschilderung» auf der einen Seite und «reiner» Fiktion, dichterischer Erfindung auf der anderen. Wie oben erwähnt, führte im Falle von Kafkas Tagebuch etwa diese

«Sicherheit» des literarischen Urteils zu Brods berüchtigten Kapitelklitterungen.

Das Problem der Fiktionalität in der Dichtung als Gesamtproblem steht spätestens seit dem Erscheinen von Hochhuths *Stellvertreter* wieder zur Diskussion. Das Thema der sogenannten dokumentarischen Literatur wurde von der Kritik zumeist auf der Ebene der Ästhetik diskutiert und mit dem Vorwurf des Modischen bekämpft[33]. Daß sich mit dem Auftreten der dokumentarischen Stücke von Hochhuth, Weiß, Kipphardt, Walser und anderen die Grundsatzfrage der Fiktionalität neu stellt, wird vor allem deutlich, wenn man sich die Gründe vergegenwärtigt, die einen Autor bewogen haben mögen, auf die eigene «dichterische» Sprache zu verzichten und gewissermaßen zum poetischen Arrangeur, zum Sprachingenieur zu werden, der mit Schere und Kleister anstatt mit Feder oder Schreibmaschine zu arbeiten scheint. Das Resultat dieser Versuche ist als Collage in der bildenden Kunst längst bekannt und wird dort als wichtige Technik der indirekten Wirklichkeitswiedergabe geschätzt und gepflegt. Der Grund dafür, daß ähnliche Experimente mit sprachlichen Mitteln auf ungleich mehr Ablehnung und Verständnislosigkeit stoßen, mag mit einem mystischen Glauben an den Bedeutungsgehalt des Dichterwortes zusammenhängen. Die Dichtung, als eine besondere Art der verbalen Aussage, trägt immer noch unterschwellig den Ruf der pythischen Weissagung in sich; der dichterischen Sprache wird ein erhöhter Wahrheitsgehalt nachgesagt. Diese offenbar aus uralten Vorzeiten überlieferte Annahme, die den Dichter mit dem Seher gleichsetzt, hält sich hartnäckig bis auf den heutigen Tag und erklärt unter anderem gerade dort eine Verständnislosigkeit, wo sich Schriftsteller der Gegenwart mit der Frage der Fiktionalität der eigenen Sprache und der Sprache überhaupt befassen. Von den Gründen, die einen Schriftsteller unserer Zeit dazu bewogen haben mögen, auf seine eigene Sprache zu verzichten, dürfen wir mangelnde Begabung oder das Fehlen von Ideen wohl ausschließen. Alle «Dokumentarier» haben nämlich bewiesen, daß sie der «reinen» Fiktion durchaus fähig sind und daß die Dokumentarphase für sie ein Experiment unter vielen war. Wir müssen, wollen wir dem Phänomen der Dokumentarliteratur etwas näher rücken, von der Gesamterscheinung und nicht von den individuellen Produkten ausgehen.

Das Dokument erscheint dem Historiker als Schriftstück von überlegener Beweiskraft. Im richtigen Moment eingesetzt, kommt es ihm zu, Streitfragen der Geschichte mit apodiktischer Überzeugungsgewalt zu lösen. Auch trägt das Dokument, sobald einmal das Problem seiner Echtheit geklärt ist, den Stempel des Wahren, des Unwidersprechlichen. Es erscheint als Stück Wirklichkeit, als unwiderlegbarer Zeuge vor dem Tribunal der Geschichte. Gleichzeitig aber, gerade wenn der Prozeß der Geschichte als großes Tribunal gesehen wird, zeigt sich der Doppelsinn des Dokumentes, denn es gibt Gegendokumente mit der gleichen Beweiskraft, und es gibt vor allem in unserer Zeit der totalen Dokumentation den plötzlich deutlich werdenden Kontrast zwischen dem Individuum, das sich von der Beweiskraft der Dokumente überzeugen lassen will, und der tödlichen Überfülle der Dokumentation, die eine «Bewältigung» durch den einzelnen in eine absurde Korrelation zu seiner Lebenserwartung setzt. Mit der Erkenntnis dieser Zusammenhänge wendet sich der Wahrheitsgehalt des Dokuments jäh in sein Gegenteil, es wird fragwürdig und undurchsichtig und erweckt vor allem im Beschauer die niederdrückende Ahnung seiner eigenen Manipulierbarkeit. Franz Kafka hat als einer der ersten Schriftsteller unseres Jahrhunderts die Verlorenheit des einzelnen vor der überwältigenden «Beweiskraft» von Aktenwänden geschildert, andere Autoren, darunter etwa auch Dokumentarautoren wie Kipphardt, Alexander Kluge und Peter Weiß, nehmen sozusagen den Standpunkt des Dokuments ein, indem sie die völlige Irrelevanz des Individuums vom Standpunkt einer vom «Wahrheitsmonopol» der Dokumente abgesicherten Staats- und Verwaltungsraison demonstrieren. Wahrheit und Wirklichkeit, die bei einer naiven Betrachtung des Dokumentarischen verbunden erscheinen, brechen plötzlich auseinander. Anstatt eine gültige Antwort zu geben, evoziert das Dokument immer neue Fragenkomplexe, die schließlich das Grundproblem ansteuern, die Einsicht nämlich, daß uns eben diese Fragen, aber keine Erkenntnisse bleiben.

Im schärfsten Gegensatz zum Ansatz der Dokumentar-
literatur scheint die bewußte Fiktionalität vorzugehen, wenn
sie die Wirklichkeit in die Überzeugungskraft dichterischer
Bilder zu bannen hofft. Im Symbolgehalt der dichterischen
Sprache sollen jene Fragen gelöst werden, die das Dokument
unbeantwortet lassen muß. Der Problemkreis «Wahrheit der
Dichtung» ist so alt wie die Literaturkritik. Seit dem «New
Criticism», der «werkimmanenten Interpretation» und dem
Strukturalismus sind andere Kriterien der Literaturbetrach-
tung in den Vordergrund getreten. Für den Literaturschaf-
fenden, den Schriftsteller, hingegen bedeutete die Pilatusfrage
seit jeher wichtiges, ja zentrales Anliegen. So läßt sich etwa
der berühmte Zürcher Literaturdisput von 1966 unter diesem
Gesichtspunkt deuten: Die etablierte Literaturwissenschaft, als
Vertreterin theoretisch erarbeiteter ästhetischer Modelle, lief
Sturm gegen die Positionen der «modernen Literatur», deren
«Kloakenästhetik[34]» dem humanistischen Schönheitsmaß ins
Gesicht schlagen mußte. Aus der breit angelegten Dokumentation der Verteidiger der Gegenwartsliteratur geht deutlich
hervor, daß das brennendste Anliegen der heutigen Literatur
sich um das Problem der Erzählbarkeit des Wirklichen dreht.
Für die formalen Kategorien der Literaturwissenschaft vermögen die heutigen Autoren nur wenig Verständnis auf-
zubringen. Die Suche nach Darstellungsmitteln für die Wirklichkeit führte bekanntlich zu einem anderen Literaturdisput,
dem als «Realismusstreit» auch ideologische Töne anhafteten,
als der große marxistische Theoretiker Lukács den Realismus
als Stil, als die einzig mögliche künstlerische Darstellungs-
form in unserer Zeit verteidigte. In diesen Fragenkomplex
hinein gehören ebenfalls die endlosen Diskussionen über die
sogenannte engagierte Literatur, ein Streitgespräch, das, von
Sartre ausgelöst, die moralische Position des Schriftstellers in
finsteren Zeiten auslotete und, um mit Brecht zu sprechen,
der Beschreibung eben dieser Zeiten gegenüber dem Gespräch
über Bäume den Vorrang gaben. Es erwies sich nun aber
in der Folge, daß gerade die Beschreibung dieser Zeiten so
einfach nicht war, daß die Erkenntniswelt ins Riesenhafte
aufgeschwollen und im eigentlichen Sinne unbeschreiblich
geworden war. In der Folge traf die Literatur der gleiche

Vorwurf, der schon einmal gegen den Naturalismus erhoben worden war, daß nämlich mit dem minutiösen Abklatsch des Alltäglichen außer einer Parallelisierung mit untauglichen Mitteln nichts erreicht und daß außerdem gerade im naiven Glauben an die Erfaßbarkeit eben dieses Alltäglichen mit Mitteln der Sprache die Tragfähigkeit des Mediums als gegeben angenommen worden war. 1966 polemisierte Peter Handke bei der Princeton-Tagung der Gruppe 47 gegen die Unzulänglichkeit der «Beschreibungsliteratur». Natur, Realität, so lautete sein Argument, haben wir genug. Das Problem ist nicht das der Beschreibung, sondern der Darstellung, der Erarbeitung einer Sprache, die wieder etwas besagt, nachdem sie sich zu lange überalterten Metaphern und Sprachbildern anvertraut hat. Handkes eigenes Beispiel, dem unterdessen verschiedene junge Autoren gefolgt sind, zeigt die Sprachkunst als linguistisches Spiel, dem gewisse Parallelen zum Dadaismus eigen sind, bei dem sich aber, im Gegensatz zu dem frühen Literaturulk der Großväter, das Spielerische mit der ernsten Absicht verbindet, hinter den niedergerissenen Sprachbildern, in der Darstellung der Absurdität herkömmlicher Metaphern eine Reflexion desjenigen zu finden, das zu fassen die Traditionssprache nicht mehr fähig ist.

Die Auffassung der Sprachkunst als Reduktion, als Zurückmeißeln auf das Sagbare, ist von Frisch schon im *Tagebuch 1946–1949* vertreten worden. Wir haben uns damit im Kapitel über die Sprache des Tagebuchs befaßt. Was uns hier beschäftigen soll, ist ein anderer Aspekt, der durch drastische Sprachkritiken, wie sie in Handkes Anti-Literatur und der Dokumentarliteratur enthalten sind, ans Tageslicht geriet. Es ist die Auffassung, daß alles Sprachliche von vornherein Fiktion sei, eine Theorie, die der Beschäftigung mit Sprache zur Wiedergabe der Wirklichkeit von Anfang an das Prädikat des Versuchs mit untauglichen Mitteln zuweist. Der Kompetenzzweifel der Schriftsteller, die «Krise» der Literatur im allgemeinen, ist eine ernsthafte historische Frage, die seit Hofmannsthals «morschen Pilzen», Joyces *Ulysses* und Kafkas Verfremdungsromanen weit mehr im Zentrum aller schriftstellerischen Darstellungsprobleme liegt, als es der Literaturwissenschaft lieb ist, die von ihrer Vorstellung der Allmacht der Sprache immer noch nicht völlig abgekommen ist. Als eigentliche Konsequenz der erwähnten Gleichsetzung alles Sprachlichen mit Fiktion ergibt sich eine Zweiteilung in bewußte und faktische Fiktion, die beide innerhalb des Schaffens eines Schriftstellers verwendet werden und denen ein rein funktioneller Stellenwert zukommt. Von der Einsicht ausgehend, daß alles Sprachliche symbolisch, das heißt, stellvertretend für das Wirkliche, ist, erfaßt der moderne Autor den unterschiedlichen Suggestivgehalt derjenigen Sprachmuster, die sich auf die physisch erlebbare Welt, und derjenigen, die sich auf die phantasiehaft nachvollziehbare, die phantastische, die Traumwelt beziehen. Im Tagebuch stoßen diese zwei Welten aufeinander und lassen eine saubere Teilung in bewußte «fiction» und «nonfiction» zu, denen nun aber kein künstlerischer Wertunterschied mehr innewohnt. Außerdem hat der Theaterinstinkt Max Frischs auf das Phänomen des Rollenspielens hingewiesen, das sich in der Aussage jedes erzählenden Ichs erweist. Kein Erzähler-Ich ist je ein privates Ich. «... vielleicht muß man schon Schriftsteller sein, um zu wissen, daß jedes Ich, das sich ausspricht, eine Rolle ist. Immer. Auch im Leben», sagt er im schon erwähnten Interview mit Horst Bienek. «Jeder Mensch (ich spreche jetzt nicht vom Schriftsteller, sondern von seinen Helden), jeder Mensch erfindet sich früher oder später eine Geschichte, die er, oft unter gewaltigen Opfern, für sein Leben hält, oder eine Reihe von Geschichten, die mit Namen und Daten zu belegen sind, so daß an ihrer Wirklichkeit, scheint es, nicht zu zweifeln ist. Trotzdem ist jede Geschichte, meine ich, eine Erfindung und daher auswechselbar.» (*Bienek* 27) Die Behauptung, daß jedes Ich, das sich ausdrücke, immer eine Rolle spiele, bestätigt die oben erwähnte Behauptung der totalen Einbeziehung alles Sprachlichen in das Fiktionale. Hier ergibt sich wiederum ein direkter Bezug auf das Tagebuch. Wir erinnern uns an Frischs Behauptung, daß Erfahrung ein Einfall sei, «... und dieser Einfall ist nur zu ertragen, wenn er sich illustrieren kann mit Geschichten. Diese Geschichten können rein fiktional sein. Sie können aber auch dokumentarisches Material mitverwenden in einer Interpretation. Die Fakten selber sprechen sich ja nie aus. Sie werden immer ausgesprochen durch meine oder unsere Manipulation mit Fakten [...] Sie können nie alle Fakten erwähnen, das könnte ein Computer, wobei dann nichts mehr ausgedrückt wird. Schon die Selektion der Fakten ist eine Interpretation, ist ein Wille, und daher ist es nicht so wichtig, ob dieses Material fiktional oder ob es faktisch ist.» (*I.* 21) Das Nebeneinander von Fiktivem und Faktischem, das wir als Stilmerkmal des modernen literarischen Tagebuchs erkannt haben, findet hier seine Erklärung insofern, als wir uns des reinen Funktionscharakters der beiden Elemente vom Standpunkt des Schriftstellers aus bewußt werden. Die Frage indessen, wann der Schriftsteller das eine und wann er das andere Element bevorzuge und einsetze, findet eine Antwort im oben genannten Zitat, daß Menschen, die mehr Erfahrungen haben als Vorkommnisse, zu fabulieren beginnen. Der Fiktion kommt damit der Wert einer vorläufigen Fixierung eines mit anderen Mitteln nicht Aussagbaren zu. Bei dieser Funktionalisierung der beiden Bereiche bleiben als Kriterien für Literatur als Kunst diejenigen Unterscheidungsmerkmale übrig, die Kunst und Dilettantismus unterscheiden: das Können, das Talent, die literarische Überzeugungskraft des Schreibenden.

Die Kombination von dokumentarischen Elementen und reiner Fiktionalität bedeutet außerdem auch Gegenüberstellung, Konfrontation, die im Dienste der Wahrhaftigkeit bewußt erstrebt wird. «Angenommen [...] ich würde das schildern [...] was ich gesehen habe, oder was ich weiß darüber, was ich höre darüber, im Sinn von Report und [...] morgen eine Reflexion schreibe (in Form einer Fiktion), so ist die Fiktion natürlich immer [...] sich selbst der Fiktionalität bewußt, und ist dadurch sauberer als Fiktion, als wenn ich das einfach so aufmischte. Ich würde zum Beispiel nie mehr [...] Dinge in die Fiktion hineinmischen, die ich unfiktional auch sagen könnte. Es ist unser Problem, wie wir mit unserem Bewußtsein fertig werden, indem wir Dinge erzählen, die nicht passiert sind, oder die wir nicht wissen können. Das können wir, das müssen wir tun, um unseren Erfahrungen ein Abbild zu geben, aber wir müssen genau wissen [...] ist das erfunden? Ist das gesehen? Das ist die

Konfrontation. Im Tagebuch wird dieser Konflikt oder dieses Problem immer sichtbar.» (*I*. 1)

Als Prinzip dieses künstlerischen Wahrhaftigkeitsethos ergibt sich der Standpunkt des Ich-Erzählers, der im Tagebuch keiner weiteren Klärung bedarf, der aber darüber hinaus ein Problem anpeilt, das die Krise des realistischen Romans von der Erzählhaltung her andeutet und das den schwächsten Punkt der dokumentarischen Literatur darstellt: das Problem der *Authentizität*. Wenn Tolstoi 1905 in seinem Alterstagebuch ahnend verkündet, daß «die Schriftsteller, falls es sie noch gibt [...] nicht etwas erfinden, sondern nur das Bedeutende und Interessante erzählen [würden], das sie im Leben beobachten konnten[35]», wenn Musil ein «Zeitalter der Tagebücher» herankommen sieht, so hängen diese Erkenntnisse letztlich mit der Authentizitätsfrage zusammen. Nur der Ich-Erzähler scheint – annäherungsweise wenigstens – einen Standpunkt zu vertreten, von dem aus erlebnishafte Einsichten in die Wirklichkeit gewonnen werden können. Der Authentizität des Dokuments wird damit die authentische Subjektivität entgegengestellt. Leidet erstere an der Ohnmacht der Darstellung wegen Überfülle an Material, so stellt die letztere einen bewußten Verzicht auf Allwissenheit dar, indem sie die engen Grenzen eines individuellen Wahrnehmungs- und Erlebnisbereiches als endgültig akzeptiert. Der Unterschied der beiden Haltungen läßt sich am deutlichsten an ihrer Einstellung zur Erkennbarkeit des Wirklichen ablesen. Beide gehen sie von vornherein von der Einsicht aus, daß Wirklichkeit schlechthin nicht darstellbar sei. Während aber nun der Dokumentarist aus seiner Überfülle eine Auswahl trifft, sie redigiert, zusammenstellt und als Teilwirklichkeit herausgibt, suggeriert er gewissermaßen, er verfüge über das Monopol der Wahrheit. Die falsche Haltung der Allwissenheit wird damit indirekt doch wieder erreicht. Die Authentizität des Dokumentes spiegelt eine Authentizität des subjektiv Ausgewählten vor. Der Dokumentarier ist Ankläger, Verteidiger und Richter zugleich, doch muß sich sein großes Welttribunal letzten Endes als Schattengericht erweisen. Wenn wir am Bild des Gerichts festhalten wollen, so könnten wir die Stellung des bewußten Ich-Erzählers mit der eines Angeklagten vergleichen, der seine eigene Verteidigung übernommen hat. Daß diese Situation in Frischs Romanen *Stiller* und *Homo faber* buchstäblich eintritt, findet hier eine Erklärung. Im Gegensatz zum Dokumentarier kann der bewußte Ich-Erzähler keine Lösungen, endgültige Urteile, oder auch nur abschließende Interpretationen anbieten. Am Ende bleibt immer die offene Frage, die keine Antwort erwartet. Gerade dieses Unvollendete, scheinbar Unbefriedigende hat nun gegenüber dem abschließend Dogmatischen der dokumentarischen Darstellung die innere Glaubwürdigkeit des Lebendigen voraus. In der offenen Frage ist die ganze Widersprüchlichkeit des Lebens eingefangen. Bei einem ehrlichen Ich-Bericht, der abschließend urteilte, müßte konsequenterweise am Ende der Selbstmord stehen.

Die dokumentarische Literatur hat letztlich nur einen Sinn, wenn sie ein großes Leserpublikum erreicht, denn sie handelt von gesellschaftlichen Dingen, die das Private nur als dialektische Komponente, als statistisches Beweismaterial für die darzulegende These verwendet. Sie ist ein Appell an die Öffentlichkeit, die Verhältnisse so zu sehen, wie sie der *poeta absconditus* gesehen haben möchte. Das Propagandistische, das der dokumentarischen Literatur innewohnt, baut die Wirkung auf das Publikum bewußt ein. In unserem Zeitalter der programmierten Bestseller ist es denn weiter nicht verwunderlich, daß dokumentarische Arrangements auf dem Büchermarkt keine Absatzsorgen kennen.

Demgegenüber bleibt das Tagebuch als Ich-Darstellung einem relativ kleinen Leserkreis vorbehalten. Frisch deutet diese Einsicht an, wenn er im Vorwort an den Leser, « – einmal angenommen, daß es ihn gibt ...», schreibt. (*T.* 1)

Es bleibt noch, darauf hinzuweisen, daß gerade im Tagebuch sich die beiden Positionen des Dokumentarischen und des Subjektiven treffen, denn der Tagebucherzähler schildert bekanntlich in Erlebnismustern. Er wird damit zum Verfasser eines Tatsachenberichts, der dokumentarischen Wert hat, insofern er sich Dingen der Öffentlichkeit zuwendet. Daß der «historische Quellenwert» durch den offen subjektiven Standpunkt beeinträchtigt wird, muß nicht erst betont werden.

Aus dem Plädoyer einer persönlichen Erfahrung ergibt sich

eine Ich-Geschichte, eine Fiktion also, deren Ziel nun aber nicht wie in den traditionellen Ich-Erzählungen auf eine Beschreibung des Erzählers oder seines Lebens hinausläuft. Die Ich-Haltung des Tagebuchschreibers bedeutet nicht: So bin ich, so lebe ich, sondern vielmehr: So sehe ich, so erlebe ich. Das Ich des Erzählers wird nicht zur Figur, sondern zum Medium eines Geistes, dessen Individualität sich nur im Rollencharakter der Aussage fassen läßt. In der Unvermeidlichkeit der Fiktionalität, die sich im Rollencharakter jeder sprachlichen Aussage zeigt, liegt zugleich die Ohnmacht, mit sprachlichen Mitteln Erkenntnisse zu formulieren, die nicht nachgelieferte Bedeutungswerte enthalten. Dem Tagebuchautor wird an dieser Stelle das Paradoxon der literarischen Aussage elementar bewußt: etwas schreiben und etwas Zweites damit meinen. Frisch formuliert diese Erkenntnis mit den folgenden Bemerkungen:

Was wichtig ist: das Unsagbare, das Weiße zwischen den Worten, und immer reden diese Worte von den Nebensachen, die wir eigentlich nicht meinen. Unser Anliegen, das eigentliche, läßt sich bestenfalls umschreiben, und das heißt ganz wörtlich: man schreibt darum herum. Man umstellt es. Man gibt Aussagen, die nie unser eigentliches Erlebnis enthalten, das unsagbar bleibt; sie können es nur umgrenzen, möglichst nahe und genau, und das Eigentliche, das Unsagbare, erscheint bestenfalls als Spannung zwischen diesen Aussagen. (T. 42)

Vor der klassischen Gültigkeit dieser Erkenntnis drängt sich die Einsicht auf, daß die bewußte Fiktionalität, das Fabulieren, das Erfinden von Geschichten sich für denjenigen, der diese Zusammenhänge durchschaut, nur mehr als Variante der unfiktionalen Aussage erweist. In beiden Fällen spielt die Frage der Gestaltung, das «Wie» der Darstellung, die entscheidende Rolle. Die künstlerische Qualität dieser Erzählform steht und fällt mit dem Vermögen des Erzählers, das Unsagbare als Spannung zwischen den Aussagen fühlbar zu machen. Diese Erkenntnis stellt somit auch höchste Anforderungen an den Leser, dem zugemutet wird, nicht nur wie bislang in den Fiktionen, sondern auch in den scheinbar unfiktionalen Erlebnisberichten diese Spannung zu fühlen. Frisch fordert vom Leser eine totale Sprachskepsis als Zugang zur Wirklichkeit.

8. Zufall und Fügung

Am Ende von Frischs *Tagebuch* lesen wir:

Der Zufall ganz allgemein: Was uns zufällt ohne unseren bewußten Willen [...] Schon der Zufall, wie zwei Menschen sich kennenlernen, wird oft als Fügung empfunden [...] Der Fall ist vielleicht für die meisten, die sonst nichts glauben können, die einzige Art von Wunder, dem sie sich unterwerfen. Auch wer ein Tagebuch schreibt, glaubt er nicht an den Zufall, der ihm die Fragen stellt, die Bilder liefert, und jeder Mensch, der im Gespräch erzählt, was ihm über den Weg gekommen ist, glaubt er im Grunde nicht, daß es in einem Zusammenhang stehe, was immer ihm begegnet? Dabei wäre es kaum nötig, daß wir, um die Macht des Zufalls zu deuten und dadurch erträglich zu machen, schon den lieben Gott bemühen; es genügte die Vorstellung, daß immer und überall, wo wir leben, alles vorhanden ist: für mich aber, wo immer ich gehe und stehe, ist es nicht das vorhandene Alles, was mein Verhalten bestimmt, sondern das Mögliche, jener Teil des Vorhandenen, den ich sehen und hören kann. An allem übrigen, und wenn es noch so vorhanden ist, leben wir vorbei [...] Das Verblüffende, das Erregende jedes Zufalls besteht darin, daß wir unser eigenes Gesicht erkennen; der Zufall zeigt mir, wofür ich zur Zeit ein Auge habe, und ich höre, wofür ich eine Antenne habe. (*T.* 463 f.)

Tagebuchschreiben heißt also, sich dem Zufall vorbehaltlos auszuliefern, denn in der durch den Zufall bewirkten Auswahl der Erlebnismuster wird der Diarist sein eigentliches Anliegen verwirklichen: sich selber in diesen Fragmenten sehen zu können. Die Ausdrücke «Zufall» und «Fügung» leiten über in religiöse Kategorien und scheinen eigentlich einem Schriftsteller, der sich offen der Bekämpfung von Ideologien und Abstraktionen verschrieben hat, nicht gemäß zu sein. Gerade an dieser Stelle hilft wiederum das Verständnis der Tagebuchsituation, Licht auf das Problem zu werfen.

Der Diarist Frisch dichtet seinen Bewußtseinszustand. Das Interesse an diesem Gegenstand seiner Anschauung würde drastisch reduziert, wenn das Element der Fügung oder das Prinzip des Zufalls auf einen Glauben an eine außerpersönliche Führung, auf eine Prädestination hinauslaufen würde. Aus der Glaubenssituation, die eine Führung des Beschauers durch ein göttliches Prinzip voraussetzt, sind ja tatsächlich zahlreiche Tagebücher von Augustins *Bekenntnissen* über die Aufzeichnungen Pascals und später der Pietisten bis zu den modernen Bekenntnisbüchern Kierkegaards und Johannes' XXIII. hervorgegangen. Es ist für unsere Untersuchung wichtig, Frischs Tagebücher an diesem entscheidenden Punkt von den vorgenannten Diarien abzusetzen, zumal sich gerade Sätze, mit denen er sein *Tagebuch 1946–1949* abschließt, dem oberflächlichen Leser als Bestätigung eines geheimen Gottesglaubens des Autors einprägen könnten:

Ohne dieses einfache Vertrauen, daß uns nichts erreicht, was uns nichts angeht, und daß uns nichts verwandeln kann, wenn wir uns nicht verwandelt haben, wie könnte man über die Straße gehen, ohne in den Irrsinn zu wandeln? Natürlich läßt sich denken, daß wir unser mögliches Gesicht, unser mögliches Gehör nicht immer offen haben, will sagen, daß es noch manche Zufälle gäbe, die wir übersehen und überhören, obschon sie zu uns gehören; aber wir erleben keine, die nicht zu uns gehören. *Am Ende ist es immer das Fällige, was uns zufällt.* (*T.* 464)

Der Deutung des Zufalls als alleiniges Auswahlprinzip des Tagebuchautors und der Fügung als Sichtbarwerden einer Gesetzmäßigkeit der Zufallsbeteiligung an Ereignissen liegt die Akzeptierung eines absoluten Subjektivismus als Ordnungsprinzip zugrunde. Die Einwirkung des Zufalls und der Fügung erfolgt also nicht außerhalb, sondern innerhalb der Person des Erzählers und ist damit als tragendes Element einer Weltanschauung ausgeschaltet. Das Vertrauen daran, daß es immer «das Fällige» sei, das einem zufalle, erweist sich bei genauerem Zusehen als Vertrauen auf die Befähigung, Wahrhaftigkeit zu leisten, sich selber in den Erlebnismustern zu finden und ausdrücken zu können. Frisch selber verwirft von einer späteren Warte aus gerade die einprägsame Formel des letzten Satzes, die er nun als «bloße Formulierung» empfindet (siehe Seite 94).

Die Einwirkung des Zufalls im literarischen Tagebuch zeigt sich vor allem im Auftauchen blitzartiger Assoziationen, die im Verlauf der Betrachtungen als Bruchstücke einer verschütteten Vergangenheit plötzlich vom Gedächtnis aufgezeichnet und von der dichterischen Phantasie mit chronologisch Gegenwärtigerem in Zusammenhang gebracht werden. Diese Vorgänge, Gegenstand der Forschung der Tiefenpsychologie, interessieren den Tagebuchschreiber nur insofern, als er sie als Elemente seines gesamten Bewußtseinszustandes erfährt und gerade bei der Arbeit am Tagebuch immer wieder auf sie stößt. Im Gegensatz zu den Psychologen sucht er diese Impulse nun nicht auf ihren Ursprung zurückzuverfolgen und sie damit als Teil seiner Persönlichkeit zu deuten. Für ihn als Schriftsteller sind sie Material, das gerade dadurch, daß es rätselhaft bleibt, die dichterische Gestaltungskraft stimuliert: Spielplatz ist immer die menschliche Seele. Ihren Gesetzen ist alles unterworfen. Die eigene Seele als *terra incognita* hält für den in sie eindringenden Diaristen Überraschungen bereit, die aus dem einerseits Unbekannten und doch Vertrauten seines Anschauungsgegenstandes entstehen. Hier erweist es sich auch, daß das Phänomen der Wiederholung mit demjenigen der Fügung eng verwandt ist. Der Umstand, daß ein dominanter Eindruck bei ähnlichen Konstellationen ähnliche Entscheidungen mit sich bringt, die sich beim Bewußtwerden in ihrem Wiederholungscharakter als vorgegeben, als Fügung einprägen, wird dem Diaristen bewußt als nachträgliche Sinngebung seines Verhaltens.

9. Einfall und Erfahrung

Bei der Annahme des Tagebuchautors, daß das Fällige ihm zufalle, läßt er die Frage nach dem Ursprung des Zufallimpulses bewußt offen. Anders steht es mit der *Erfahrung,* die sich als Erlebnismuster oder Reflexion im Tagebuch in Sprache umschlägt. Hier nun finden wir einen entscheidenden Gedanken Frischs, der über das Tagebuch hinaus zu seinem Credo für die gesamte Literatur wird: Frisch entwickelt die Theorie, «daß Erfahrung ein Einfall ist und nicht das Resultat von Geschichten, sondern umgekehrt: Die Erfahrung ist ein Einfall, und dieser Einfall ist nicht zu ertragen, wenn er sich nicht illustrieren kann mit Geschichten. Diese Geschichten können rein fiktional sein. Sie können aber auch dokumentarisches Material mitverwenden, im Sinne einer Interpretation.» (*I.* 8) Das menschliche Leben, so Frisch, wird sich als solches nur bewußt, wenn es sich ausdrücken, in Geschichten fassen kann. Mit Geschichten werden Erfahrungen lesbar.

Äußere Vorfälle, die uns «zufällig» erreichen, bleiben so lange vor der Tür, bis sie, als «Geschichte», zum Bestandteil unseres Bewußtseins und damit unseres «Lebens» gemacht werden. Sie werden Teil einer Lebensgeschichte, die ohne weiteres als Wirklichkeit empfunden wird, die sich aber rückblickend als epische Formulierung eines jähen Einfalls, der der Sinngebung dient, erweisen. Die Technik des Erzählens, das innere Wesen der Literatur, aber auch das Bewußtsein des Menschen beruht auf diesem elementaren Bedürfnis und der Notwendigkeit, Erfahrung in Sprachbildern festzuhalten. Im Zusammenhang mit dem Problem der Zeitdarstellung des Tagebuchschreibers haben wir die Bedeutung der sogenannten Erfahrungszeit im Gegensatz zur chronologischen gesehen. Ihr gewissermaßen dreidimensionaler Charakter tritt nun bei dieser Definition der Erfahrung, die als Einfall sich in Geschichten niederschlägt, wieder deutlich hervor. Im «Werkstattgespräch» kommen diese Zusammenhänge besonders deutlich zum Ausdruck:

... warum erzählen wir stets im Imperfekt? Das ist der Ton der Erzählung: Es war einmal. Vergangenheit ist eine Fiktion, die nicht zugibt,
eine Fiktion zu sein. Sie werden zugeben, daß entscheidende Wendun-
gen in einem Leben, genau besehen, auf Vorkommnissen beruhen, die
nie vorgekommen sind, auf Einbildungen, erzeugt von einer Erfahrung,
die da ist, bevor eine Geschichte sie zu verursachen scheint. Die Geschichte drückt sie nur aus [...] Nur die Erfahrung ändert alles, weil sie
nicht ein Ergebnis der Geschichte ist, sondern ein Einfall, der die Geschichte ändern muß, um sie auszudrücken. Die Erfahrung dichtet, und
die Dichtung ändert die Welt, wenn auch nicht im vordergründigen
Sinn. Wenn Menschen mehr Erfahrung haben als Vorkommnisse, die
als Ursache anzugeben wären, offenbart es sich deutlich: sie fabulieren.
Wohin sonst sollen sie mit ihrer Erfahrung? Sie entwerfen, sie erfinden,
was ihre Erfahrung lesbar macht. Die Welt, je realistischer man sie
betrachtet, erscheint als die Folge einer Legende ... (*Bienek* 29)

Aus dem Bewußtwerden dieser Zusammenhänge, auf dem die künstlerische Arbeit des Tagebuchschreibers Frisch beruht, ergibt sich auch die Erklärung für das ständige und scheinbar stilbrüchige Wechseln zwischen «realistischen» Erlebnisberichten mit dokumentarischem Charakter, Prosaskizzen und drama-
tischen Dialogen, die sich als «reine Fiktionen» präsentieren. Unter der Annahme, daß sich alle Erfahrungen in Geschichten auszudrücken haben, erweisen sie sich lediglich als ver-

schiedene *modi dicendi,* die mit verschiedenen Mitteln das
gleiche bewirken wollen: die Wirklichkeit mit sprachlichen
Mitteln zu begreifen.

10. Spiel und Spielbewußtsein

Nach seiner Begegnung mit Brecht, der ihm, dem damals
noch unbekannten jungen Dramatiker, den Entwurf für das
Kleine Organon für das Theater vorlegte, notierte Frisch in
seinem Tagebuch: «Es wäre verlockend, all diese Gedanken
auch auf den erzählenden Schriftsteller anzuwenden, Ver-
fremdungseffekt mit sprachlichen Mitteln, das Spielbewußtsein in der Erzählung, das Offen-Artistische, das von den
meisten Deutschlesenden als ‹befremdend› empfunden und
rundweg abgelehnt wird, weil es ‹zu artistisch› ist, weil es
die Einfühlung verhindert, das Hingerissensein nicht herstellt,
die Illusion zerstört, nämlich die Illusion, daß die erzählte
Geschichte ‹wirklich› passiert sei usw.» (*T.* 294)

Die Parallelen zu den künstlerischen Forderungen des literarischen Tagebuchs werden bei diesen Bemerkungen augen-
blicklich klar. Es ist indessen zu bemerken, daß «das offen
Artistische», wenn es auch schon von Frisch tastend für sein
Tagebuch 1946–1949 angewendet wird, erst im *Gantenbein*-
Roman, in der *Biografie* und im *Tagebuch 1966–1971* konsequent zur Anwendung kommt. Über die Tagebuchbemerkung
meint Frisch dreiundzwanzig Jahre später: «Es war [...] eine
naive Frage, begründet aus einem Unwissen über die gegenwärtige Literatur, und ich bin natürlich nicht der einzige, der
das versucht hat. Es haben das eigentlich fast alle versucht.
Eigentlich nur der realistische Roman macht diese Verfremdung nicht. Aber schon der Kafkaroman, zum Beispiel, um
ihn als Gattung zu bezeichnen, macht das ganz klar, ganz
eindeutig. Vollkommen verfremdete Darstellung, was er vorgibt etwa durch die Sprache, verfremdet so wie etwa auf der
Bühne durch den Schauspieler.» (*I.* 11)

Im Tagebuch, so wie es Frisch für sich entwickelt hat,
findet sich eine Verfremdung der chronologisch arrangierten
«realistischen» Erzählstruktur der regelmäßigen Beobachtungen

durch die bewußt fiktionalen Skizzen, die man als spielerische Varianten tatsächlichen oder reflektierten Geschehens betrachten kann. Ein Beispiel, das der Entstehung des späteren Dramas *Als der Krieg zu Ende war* vorausgeht, ist die Fabel vom russischen Obersten und der deutschen Frau, die, von einem Freund im zerstörten Berlin erzählt, im Gedächtnis des Schriftstellers haften bleibt, ihn zu Reflexionen bewegt («Nachtrag», *T.* 220) und in spielerischem Gestalten schließlich zu dem Schauspiel wird, das das Tagebuch verläßt, autonom wird. Ein anderes Beispiel, dessen Fiktionalisierung wir schon innerhalb des Tagebuchs verfolgen können, beginnt mit der Notiz eines Zeitungsartikels, der scheinbar «eine Tragödie des Alltags» schildert, die Geschichte eines unauffälligen Mannes, eines Kassiers, der unmotiviert seine ganze Familie mit einer Axt erschlägt. Aus Frischs Fragestellung ergibt sich der Spielansatz: «Unser Bedürfnis, nach dem Grund: als Versicherung, daß eine solche Verwirrung, die das Unversicherte menschlichen Wesens offenbart, unsereinen niemals heimsuchen kann – Warum reden wir soviel über Deutschland?» (*T.* 70)

Neben der Fragestellung wird der Tagebuchbezug als Bezug auf das Zeitgeschehen (es ist die Zeit des Nürnberger Prozesses. «Man redet von Deutschland») deutlich. Daraus ergeben sich die Regeln des Spiels, das der Schriftsteller vor unseren Augen zu spielen beginnt. Vom Zeitungsverbrechen bleibt die blitzende Axt. Die Faszination mit diesem Instrument ist es, die des Dichters Phantasie immer weitere Kreise ziehen läßt. Die Axt ist ein Mordinstrument, ihrem Ursprung nach aber nicht. Sie ist das Werkzeug des Waldarbeiters. Bäume werden damit umgehauen, Lichtungen geschaffen. Mehr Licht. Befreiung vom Dunkel. Ausbruch. Und schon ist das Symbol da: Die Axt wird Befreiungsinstrument, der, welcher sie schwingt, der Freiheitsuchende, für andere die Hoffnung der Befreiung: «Herrlich bin ich und frei; aber wo, meine Seele, wo führst du mich hin?» (*T.* 100) Das vielleicht großartigste, sicher rätselvollste und schwerstverständliche Stück Frischs, *Graf Öderland,* wird aus diesem Spiel der Gedanken, aus der spielerischen Abwandlung eines in seinem ganzen tragischen Gehalt alltäglichen Vorfalls vor unseren Augen zur Dichtung, zunächst zur Skizze in sechs

Szenen, dann, außerhalb des Tagebuchs, zum Bühnenstück. Das Ende der Tagebuchskizze deutet auf dieses Hinausdrängen, dieses Selbständigwerden und Formgewinnen des rudimentären Gedankens hin: «Graf Öderland geht um die Welt, Graf Öderland geht mit der Axt in der Hand, Graf Öderland geht um die Welt! usw.»

Innerhalb des Rahmens des Tagebuchs hört hier das Spiel auf, es ist ausgespielt. Als Motivierung für das Aufhören muß ein scheinbar ganz unkünstlerisches Prinzip, dasjenige der *Ermüdung,* gesehen werden. Das Spiel ist aus: *Les jeux sont faits. Rien ne va plus.* Dieser Umstand tritt in der Tagebuchskizze deutlich zutage. Er bildet das Element des Offen-Artistischen, das Frisch in seiner Bemerkung über die Brechtsche Verfremdung als erstrebenswert anzielte. Offen-artistisch bleibt auch die Verfremdung des Anstoßmotivs, der Fabel, des Alltagserlebnisses. Das Stück aber, das ungeformte, skizzierte, bleibt trotz seiner späteren Ausweitung zur dramatischen Form integraler Bestandteil des Tagebuchs, Ausdruck eines diaristischen Bewußtseinszustandes, der sich in diesem Moment in gebundener Form äußert. Der Spielcharakter liegt in der Form des Fragments an sich beschlossen. Das Spiel ist aus, nicht wenn die Antwort gefunden ist, sondern wenn die zielende Frage, die richtige, sich einstellt. Spiel an sich ist fraglos und eigengesetzlich. Der spielerische Mensch, *homo ludens,* untersteht nur den Gesetzen seiner eigenen Phantasie, seiner Denkkraft und seiner Spiellust. Müdewerden bedeutet Aufhören. Auswahlprinzip für die Spielelemente, aus denen die Phantasie die Regeln des Spiels herleitet, ist das Interesse, jenes Element, das, nicht beeinflußbar, die Akzente setzt. Wir erinnern uns an Frischs Definition der «Erfahrung als Einfall».

Geschichte als spielerische Gestaltung einer Erfahrung findet im Tagebuch ihr adäquates Medium. Die Erfahrung wird nur faßbar, wenn sie sich im sprachlichen Spiel zum Einfall kristallisiert. Die Philosophie des Diaristen verhindert, daß dieses Spiel als Ernst, als allgemeinverbindlich, als unauswechselbar akzeptiert werden kann: Jeder Vorfall könnte hundertfach zur Geschichte variiert, das heißt hundertfach ausprobiert, gespielt werden. Paul Valéry hat die Dichtung ein Spiel mit Worten und Sprache genannt. Im literarischen

Tagebuch wird vor unseren Augen das faszinierende Spiel der ursprünglichen Dichtkunst anschaulich.

Johan Huizinga hat in seiner bekannten Untersuchung über den *homo ludens* auf dieselben elementaren Zusammenhänge zwischen Spielbewußtsein und Dichtkunst hingewiesen[36]. Er betont vor allem auch, daß die poetischen Formen, wie sie in einer bestimmten Epoche der Literatur von einer Mehrheit der Schriftsteller als stimmig verwendet werden, stets als Spielformen zu verstehen seien: «Die Ratio für die weitgehende Gleichartigkeit des poetischen Ausdrucks in allen uns bekannten Perioden menschlichen Zusammenlebens scheint zu einem wesentlichen Teil darin zu suchen zu sein, daß dieses Sichäußern des formschöpfenden Wortes in einer Funktion wurzelt, die älter und ursprünglicher als alles Kulturleben ist. Diese Funktion aber ist das Spiel[37].»

Wir dürfen vielleicht das literarische Tagebuch als sinngemäße poetische Spielform unserer Zeit bezeichnen, insofern es die alten Spielregeln der festen Formen verwirft, um sich neue, eigenwillige, subjektive Regeln zu schaffen, die nur für dieses eine Spiel gelten und die mit dem Ermüden des Spielenden, mit dem Nachlassen seines Interesses alsobald gegenstandslos werden. Horst Rüdiger meint, das Tagebuch könne «einen Ersatz des Romans bilden, gerade weil es auf die schönen Täuschungen der kausalen Verknüpfungen der Ereignisse und der fortlaufenden Erzählung verzichtet. Es gestattet den Einbruch des Zufalls, des Sinnlosen, des Unthematischen in das strenge Gefüge der Erzählformen; es ist die literarisch angemessene Form für die Zustände der Unbehaustheit und der Grenzsituationen, für die permanente Unsicherheit, in der wir uns gegenwärtig alle befinden[38].» Rüdigers Bemerkungen drängen uns vielleicht allzu drastisch die Gleichsetzung des Tagebuchschreibens mit einem «Spiel am Abgrund» auf. Wenn wir uns indessen das elementar Künstlerische der Spielsituation vergegenwärtigen, wenn wir außerdem bedenken, daß jedes Spiel mit den durch Zufall bedingten Materialien der Epoche – sprachlicher und stofflicher Art – erfolgt, so gewinnt das Tagebuchspiel im Ernst unserer Zeit jene künstlerische Bedeutung, die das frivole Spiel mit «zeitlosen» Formen und Metaphern der Vergangenheit verloren hat.

II. TEIL

VERSUCH EINER GATTUNGS-
BESTIMMUNG

1. Erzählbarkeit

Unter den meistbesprochenen Themen der literarischen Szene unserer Tage befindet sich die Frage der Erzählbarkeit. Es ist eine eminent politische Frage, denn der Zweifel vieler heutiger Schriftsteller, ob eine Fabel, eine Geschichte ebenso erzählt, das heißt gestaltet, geformt, gerundet, werden könne wie vor hundert Jahren, drückt eine Erkenntnis aus, die mit schriftstellerischer Fertigkeit wenig, mit der Wahrnehmung eines drastisch sich ändernden Gesellschaftsbildes sehr viel zu tun hat. Teilauswirkungen dieser Erkenntnis haben wir bereits in Kapitel I/5 gesehen.

Gerade auf dem Gebiet der Epik aber geht der Zweifel noch tiefer. Es ist, wie Dieter Wellershoff es ausdrückte, ein ausgesprochener Kompetenzzweifel des Schriftstellers, Gültiges und Verbindliches über eine Wirklichkeit aussagen zu können, zu deren Merkmalen die «Information-Explosion», die Prädominanz des kommentarlosen Bildes und der technischen Reproduzierbarkeit[39], gehören.

Erzählen heißt Darstellen mit sprachlichen Mitteln. Der Einwand, daß dies rein äußerlich auch jetzt noch geschehen könne, bedeutet etwa gleich viel wie die Behauptung, man könne auch heute noch Hufeisen schmieden oder Flachs spinnen. Was von Schriftstellern bis vor kurzem fraglos vorausgesetzt werden konnte, ein Publikum nämlich, das die literarische Darstellung als gültige Parabel der eigenen erfahrenen Welt akzeptierte, das an den Schriftsteller die Forderung stellte, mit seinen Protagonisten und Verhaltensmustern recht eigentlich Vorwurf und Bestätigung der eigenen Identität zu schaffen, hat sich in zunehmendem Maße der Literatur ab- und der Bildaussage zugewendet. Es fing an mit der Forderung nach dem «Positiven» in der Literatur, was zunächst wohl einem Wunsch nach Absicherung eines gültigen Weltbildes entsprach, indem das «Ewig»-Menschliche bestätigt wurde. Das Bedürfnis nach Selbstbestätigung einer zunehmend verunsicherten Massen- und Konsumgesellschaft drückte sich alsbald aus in einem Hinwenden zur sogenannten Trivialliteratur, das nicht nur, wie Leslie A. Fiedler es sieht, als Suche nach einem neuen Reizangebot, als Ausdruck einer neuen Sensibilität zu verstehen ist. In der lustbetonten Identifikation mit dem *superman* des Kriminal- und Spionageromans, der *Science-Fiction*-Literatur und der Pornographie verbirgt sich eine, vielleicht letzte, Travestie des Idealismus, des Glaubens an die Größe und den Triumph des Individuums. «Wirklichkeit» ist in der Trivialliteratur nicht gefragt. Dagegen lassen gerade ihre rein äußerlichen Erfolge ein Bedürfnis erkennen, das eine unbewußte Kritik an dem bislang in der «seriösen» Erzählliteratur vorherrschenden «bürgerlichen Realismus» bedeutet. Das falsche Bewußtsein des Konsumbürgers weist die Literatur auf einen Sündenfall hin, der in die gegenwärtige Krise der Erzählkunst geführt hat, die Verkennung des Umstandes nämlich, daß die Literatur niemals Wirklichkeit darstellt, sondern eine Gegenwirklichkeit, die der Schriftsteller mit sprachlichen Mitteln im Geist seiner Leser aufbaut. Vor dieser elementaren Tatsache werden die berühmten Diskussionen, ob Literatur engagiert oder *l'art pour l'art* sein soll, gegenstandslos. Was bleibt, ist – um mit Herbert Meier zu sprechen – *l'art pour l'homme*.

Was bleibt dem Menschen anderes übrig, als sich auf einem Planeten einzurichten, dessen Fortbestehen er der stellvertretenden Vernunft der Technik anvertraut hat? Vor den primitiven Ja/Nein-Entscheidungen des Computers ist der Glaube an die Entscheidungsfreiheit des Individuums vollends irre geworden. Konformismus in der gesteuerten Gesellschaft bedeutet Überleben. Fast scheint es, daß selbst revolutionäre gesellschaftliche Änderungen in Zukunft der Beweiskraft des Computers und nicht derjenigen der Ideologien entspringen würden.

Vor der Einsicht, daß Planung lebensnotwendig sei, daß Programmierung Überleben bedeute, verblassen Utopien und Ideologien. Die Einholung jedes utopischen Vorsatzes materieller Art ist nur noch eine Frage der Zeit und nur noch durch die materielle menschliche Existenz eingeschränkt. Noch nie ließen sich aus den Gesetzen der Vergangenheit so wenig Gesetze für die Zukunft ableiten. Noch nie ließ sich mit den sprachlichen Mitteln der literarischen Tradition so wenig über die Gegenwart aussagen. Die Literatur ist von der Zeit überrollt worden. «Wir kamen alle noch mit Ritterrüstungen in eine Panzerschlacht, und das ist ein ungünstiges Verfahren», meint Frisch (*I.* 13), und das trifft mindestens zu für die Nationalliteraturen der hochzivilisierten westlichen Welt, deren sprachliche und kulturelle Individualität mit einemmal zur Erfassung globaler Verhältnisse nicht mehr ausreicht. Zwei Tendenzen der Gegenwartsliteratur stellen einen verzweifelten Ausbruchsversuch aus dieser ausweglosen Situation dar: Die Theologen verschanzen sich hinter dem göttlichen Prinzip der Unerklärbarkeit, der Absurdität; die Dokumentaristen, die Pop-Artisten präsentieren uns Collagen aus Trümmern vom Abfallhaufen der Geschichte oder der Konsumgesellschaften, um eine letzte gebrochene Reflexion der verlorenen Wirklichkeit zu erhaschen. Damit sind sie aber bereits an der Grenze der Erzählbarkeit angelangt, ja haben sie teilweise überschritten. Denn die Gegenwirklichkeit, die sie präsentieren, ist nicht mehr kollektiv verbindlich, weil sie auf der individuellen Ratlosigkeit ihrer Schöpfer beruht und gerade der scheinbar grenzenlosen Erklärbarkeit der Umwelt durch die Mittel der Technik nichts entgegenhält als das eigene Unbehagen. Im *Tagebuch 1946–1949* findet sich die Stelle: «Die Poeten, wenn sie Poesie machen, die hinter ihrem und unserem Bewußtsein zurückbleibt, sperrt man nur nicht ein, weil der Schaden, den sie anrichten, nur sie selber trifft; sie entlassen sich sozusagen selber: indem kein Zeitgenosse, kein bewußter, sie ernst nehmen kann.» (*T.* 221) Dichterische Gegenwirklichkeit, das elementare Ziel der Dichtkunst, kann auch falsch sein und darf nicht unbesehen als gültige Aussage akzeptiert werden.

Das Paradoxon im Zeitalter des Individualitätsverlustes besteht auf dem Gebiet der Epik darin, daß sich die Notwendigkeit herausstellt, das erzählende Ich wieder ernst zu nehmen, jenes Ich, das sich nicht mehr zentral empfindet, das in eine Bescheidenheit gezwungen wird, die sich weder als sittliche Haltung noch als Wahrheit gibt. Der Autor muß dabei nicht unbedingt, wie es Reinhard Baumgart ausdrückt, zur «fensterlosen Monade» werden, wenn er im Bewußtsein der Veränderung seiner gesellschaftlichen Stellung die Warte des Sehers räumt, die einen weiten Horizont vortäuschte. Auch bedeutet der Weg nach innen nicht unbedingt «Lust, niemandes Schlaf zu sein». Die Ich-Position des Tagebucherzählers ist vielmehr Bekenntnis zum Zeitgenossentum. Als sokratisch Fragender geht der Diarist über den Marktplatz der Zeit. Mit dem sokratischen Bekenntnis, nichts zu wissen, keine höheren Einsichten und Inspirationen als Lösungen und Antworten bereitzuhalten, löst er die Verkrampfung seiner Partnerin, der Öffentlichkeit.

In der Kunst des literarischen Tagebuchs liegt ein pädagogisches Element beschlossen. Es ist jedoch nicht die erzwungene Lehrhaltung der Parabel, deren Zwiespältigkeit und wahrheitswidrige Geschmeidigkeit Frisch erkannt hat. Wir haben darauf hingewiesen, daß die Parabeln des eigenen Lebens, der Erlebnisgeschichten, im Tagebuch bewußt überspielt werden. Der Tagebuchschreiber ist einer, der auszieht, das Fragen zu lehren, denn nur in der Neuentdeckung der Kunst der Befragung öffnet sich der Weg zum Erlebnis der eigenen Wirklichkeit[40]. «Technik» ist für Frisch ein «Kniff, die Welt so einzurichten, daß wir sie nicht mehr erleben müssen[41]». Die Technik gibt an, das Monopol der Antworten für alle rätselhaften Erscheinungsformen unserer Umwelt zu besitzen. Den Menschen von dem Irrtum der Erklärbarkeit seines Lebens wegzulocken, ihm die Freiheit der Frage wiederzugeben und damit das Erlebnis, zu sein: darin liegt die pädagogische Verpflichtung, der sich der Tagebuchautor unterwirft. Aufgabe des Schriftstellers sei es, so sagt Frisch in einem Interview, «Fragen wachzuhalten, selbst dann, wenn der Autor selbst keine Antwort darauf geben kann, oder geben will», denn die Antwort des Autors wäre nur persönliche Meinung, also unverbindlich: «... Ich würde sagen, was ich für richtig halte.» Um den Leser von der metaphysischen Verbindlichkeit des «Dichterworts» zu befreien, um ihm den Reichtum seiner eigenen Gedanken zu weisen, läßt der Schriftsteller die Frage offen. Es ist wiederum ein Bekenntnis zur Wahrhaftigkeit: «... Die Meinung ist die, daß dadurch, daß ich die Frage offen lasse, Sie als Leser dieser Frage ausgesetzt bleiben und mehr genötigt sind, darauf eine Antwort zu finden, und zwar nicht eine Antwort mit Worten, sondern, womöglich, mit Ihrem Verhalten in der Wirklichkeit. Jedenfalls war das zu der Zeit, als dieses Tagebuch geschrieben worden ist, meine Auffassung von der Schriftstellerei, von der moralischen Seite her, nicht von der formalen her[42] ...»

Schon in der früheren Erzählung *Bin, oder die Reise nach Peking* findet sich die Bemerkung: «Man müßte erzählen können, so wie man wirklich erlebt[43].» Wenig später lesen wir: «Alles Fertige hört auf, Behausung unseres Geistes zu sein[44].» Die Frage ist Fragment an sich; die kontinuierliche Fragehaltung, die Skepsis, ist Werkgrundlage. Das literarische Tagebuch, dessen Fragen ins Unendliche zielen, bleibt Behausung des Geistes, bedeutet Erzählen in finsteren Zeiten: «... Skeptisch kann ja nur der Mensch sein, der im Grunde an Möglichkeiten einer Wahrheit glaubt, aber sieht, wie schwer diese Wahrheit zu fassen ist[45].»

Jede epische Darstellung braucht einen Innenraum, den sie schildert. Hier beginnt die Problematik des modernen Erzählers, der es sich zum Ziel gesetzt hat, die Wirklichkeit zu erfassen, und der die Versuche des Realismus, diese Wirklichkeit diskursiv zu erfassen, als ungehörig, als wahrheitswidrig ablehnen muß. Der Autor der realistischen Erzählung macht die Wirklichkeit haftbar für den Zustand des eigenen Bewußtseins. Die Vermutung, daß man die Umwelt nur so sehen könne und nicht anders, verunmöglicht das Erlebnis des Lebens. Das Erlebnis geschieht über die Fiktion[46]. Die Wahrheit aber «ist keine Geschichte, sie ist da oder nicht da, die Wahrheit ist ein Riß durch den Wahn ...». (*Bienek* 28) Der epische Innenraum des Tagebuchs verzichtet auf jede allgemeine Verbindlichkeit. Der Tagebuchautor leiht uns seine Gabe, zu sehen, ohne uns seine Erlebnismuster als «typisch» aufzuzwingen. Wir sollen selber sehen lernen, sollen uns der

Wirklichkeit – unserer Wirklichkeit – aussetzen, sollen mit unseren Mitteln versuchen, die Chiffren der Erscheinungsformen zu deuten. Die *terra incognita,* der epische Raum, ist unsere eigene Seele. Hinter der epischen Erfahrung des Tagebuchs verbirgt sich die kühne Forderung an den Leser, Kolumbus seiner Seele zu sein, eines Raums unbekannten Lebens, den jeder mit sich herumträgt und dessen Erforschung zur Erfahrung des Lebens selber wird.

2. Die künstlerischen Kriterien

Mit der These, daß jede Geschichte, die sich erzählen lasse, Fiktion sei, schafft sich Frisch die epische Grundlage für sein Werk. Im Kapitel über die Haltung des Tagebucherzählers haben wir gesehen, daß dieser sich bemüht, das private Ich vom Ich des Erzählers zu sondern. Private Geschichten sind eben durch ihre biographisch fixierbare Eindeutigkeit verbindlich im ungebührlichen Sinn. Nicht das Beispiel der eigenen Vita soll ja den Leser zur Erfahrung der Wirklichkeit zwingen, sondern das offen dargelegte Bekenntnis, daß es sich bei den erzählenden Erlebnismustern nur um – beliebig variierbare – Möglichkeiten des Sehens handle. Es sei in diesem Zusammenhang auf die autobiographische Skizze im *Tagebuch 1946–1949* hingewiesen, die scheinbar diesem Prinzip zu widersprechen scheint. Wichtig ist, daß wir dabei die Funktion dieser Stelle im Tagebuch erkennen, die mit der Angabe der Umstände eingeleitet wird, unter denen sie entstand:

(Ich sitze im Park von Versailles, hier, wo Fürsten ihre sommerlichen Serenaden hatten. Springbrunnenstille. Die Lust, Paris zu skizzieren, erstirbt doch immer wieder im Bewußtsein, wer alles es schon getan hat, und dazu meisterlich. Kaum in Briefen wagt man es, jeder kennt es, jeder liebt es, die Luft ist voll vom Gespräch erlauchter Geister, die keinen Partner brauchen. Am Vormittag war ich an der Seine, Bücher blätternd, wie es Millionen vor mir getan haben. Es gibt nichts in dieser Stadt, was nicht Millionen schon getan haben, gesehen, gemalt, geschrieben, gelebt. So, auf mich selbst verwiesen, schreibe ich heute über mich selbst.) (*T.* 274)

Es folgt die Skizze, eine Biographie, die Fragment bleiben

muß, weil sie als Element des Tagebuchs Frage bleibt. Am Schluß steht der Hinweis auf die «bisher letzte schriftstellerische Arbeit», das Schauspiel *Als der Krieg zu Ende war*. Die Funktion dieser Biographie entspringt nicht dem Wunsch, den Autor dem Leser näher zu bringen. Sie ist Ausdruck eines Erlebnisses, des *hic et nunc*. Frisch schreibt die Skizze aus einem Gefühl des Verlorenseins in einer Umgebung, die durch unendliche dichterische Gestaltung Literatur geworden ist. Aus der Einsicht der Unfähigkeit, dieses literarische Paris nochmals unbefangen erleben zu können, ergibt sich das Darstellungsbedürfnis des Ichs. Der Fiktion «Paris» wird die Fiktion einer Lebensgeschichte gegenübergestellt, und erst in dieser Gegenüberstellung zeigt sich die Erfahrung, wirklich zu sein. Die Innenwelt wird zur Außenwelt gedichtet und mit der Außenwelt der schon bestehenden Fiktion «Paris» konfrontiert. Und siehe, die Gegenwart wird erlebbar, denn die Biographie setzt sich ja unbewußt fort bis zur Schreibstunde im Park von Versailles.

Das genannte Beispiel illustriert auf eindrückliche Weise die künstlerische Gestaltung des literarischen Tagebuchs. Erlebnis und bewußte Fiktionalität stehen einander gegenüber, deutlich in ihrer jeweiligen Kategorie erkennbar, verbinden sich in Analysen und Reflexionen und enden bei der «tönenden Oberfläche», beim «Weiß zwischen den Zeilen», bei der Frage, die unausgesprochen sich formt und weiterweist. Dieser unaufhörliche Dreischritt, der auch die Wiederholung als Formelement mit einschließt, zielt vorwärts, nicht zu einem Abschluß, zur Erklärung, sondern zum noch unbekannten Fälligen, das einem zufallen wird, solange da noch Leben ist.

Wir dürfen das Element des freien Rhythmus unter die Formprinzipien des literarischen Tagebuchs rechnen. Im Gegensatz zu der herkömmlichen Poesie der festen Formen läßt sich dieser Rhythmus nicht in vorgegebenen Maßen messen. Er entspringt unter anderem der sprachlichen Gestaltungskraft des Autors, dem Fällig-Zufälligen der sich plötzlich einstellenden Ideen, die sich in Geschichten niederschlagen, und dem Prinzip der Ermüdung, des Nachlassens des Interesses, das sowohl im Fall der einzelnen Skizze als auch in demjenigen des Gesamttagebuchs Abschluß oder vielmehr *fade-out* bedeutet. Dieses Ermüdungsprinzip ist nicht ohne Parallelen in der deutschen Literaturgeschichte. Es ist vor allem in der Romantik zu treffen, wo es allerdings eine andere Funktion erfüllen soll. Frischs Werk ist schon verschiedentlich mit dem Attribut «romantisch» versehen worden[47]. Dieses Etikett mag zwar für die unter dem Einfluß Albin Zollingers geformte lyrische Prosa des jungen Frisch einigermaßen zutreffen, doch gilt sie nicht mehr für die Zeit nach der Begegnung mit Brecht. Zu diesem Zeitpunkt änderte sich nicht nur Frischs Sprachauffassung, sondern mit der Entdeckung der Tagebuchform auch sein episches Gestaltungsprinzip. Gewisse Parallelen zur romantischen offenen Form lassen sich allerdings auch hier ablesen. Doch bleibt die Motivierung verschieden. Der romantischen Literaturauffassung und derjenigen des Diaristen gemeinsam ist die Ablehnung des «vollendeten» Kunstwerkes. Während der Romantiker seine Vorliebe für die offene Form damit begründet, daß er dem Gefühlsinhalt seines Kunstwerks nicht in den Rahmen einer vorgegebenen Form pressen könne, liegt bekanntlich der Ansatzpunkt für die offene diaristische Gestaltung bei der Auseinandersetzung mit der Darstellbarkeit der Wirklichkeit. Hinter der offenen *romantischen* Kunstform steht letztlich der Glaube an die Unendlichkeit eines absoluten Prinzips. Im offenen literarischen Tagebuch wendet sich der Autor gegen den Absolutheitsanspruch jedes Denkmodells. Gerade das offen dargebrachte Gefühlsmoment, das noch den *Journaux intimes* ein lyrisches Gepräge gab[48], fehlt völlig in der neuen Darstellungsweise des literarischen Tagebuchs. Dazu Frisch:

«Was mir nicht gefällt an dem Früheren, das entstanden ist unter der Bewunderung für Albin Zollinger, das ist das Exhibitionistische des Gefühls, der Gebrauch der sogenannten poetischen Metapher. Es wird direkt Gefühl angeboten. Wenn Sie vom Späteren sagen, es sei nüchterner, so stimmt das ohne Zweifel. Es ist nur nicht einfach so, daß das Gefühl ausfällt. Es flüchtet sich vielmehr immer weniger in die Metapher. Material, möglichst genau bezeichnetes Material, wird so arrangiert, so zusammengesetzt, so in eine Collage gebracht, daß zwischen den Aussagen der Gefühlswert entsteht, aber daß der Gefühlswert selber nicht ausgesprochen oder zerschwätzt wird. Was mir die poetischere Form zu sein scheint als die erstere.» (*I.* 11)

Daß Frisch mit seiner Collagetechnik des arrangierten Sprachmaterials in der Erzählform des Tagebuchs einen eigenwilligen Beitrag zum allgemeinen Ikonoklasmus der Gegenwartsliteratur leistet, haben wir im Kapitel über die Sprache des Tagebuchs bereits gesehen.

Dichten bedeutet dem Tagebuchschreiber Frisch, das Sagbare sagen um des Unsagbaren willen. Wir erinnern uns an Musils berühmten Kommentar zum *Mann ohne Eigenschaften:* «Die Geschichte dieses Romans kommt darauf hinaus, daß die Geschichte, die in ihm erzählt werden soll, nicht erzählt wird.» Solche Ironie ist schwierig. Sie trägt bereits alle Merkmale verborgen in sich, die im literarischen Tagebuch ihre Gestaltungsform finden. Wir könnten den *Mann ohne Eigenschaften* in einem gewissen Sinn als Variante des modernen literarischen Tagebuchs bezeichnen. Wohl hat Musil, noch fasziniert von der Romantradition, sich dieser anzupassen versucht. Als Versuch ist Musils Roman gescheitert. Dennoch, oder gerade deswegen, ist er als monumentales diaristisches Fragment ebenso wegweisend für die Entwicklung der Gegenwartsliteratur wie die Romane Kafkas, für die von der Form her Ähnliches gilt. Mit dem Titel seines Romans hat Musil in genialer Weise die Erzählsituation des Tagebuchschreibers als anonymen Brennpunkt eines Bewußtseins geschildert. Nur dadurch, daß der Erzähler des Tagebuchs als Mann ohne Eigenschaften auftritt, daß ihm also das Private gänzlich mangelt, wird er als Darsteller des Darstellbaren glaubwürdig. Trotz der Anonymität des Privaten bleibt dem Tagebuch der Stempel des unverkennbar Persönlichen. Ein Tagebuch läßt sich weder vom Inhalt noch von der Diktion her nachahmen. Es bleibt Einzelstück, individuell im Zeitalter der technischen Reproduzierbarkeit und leistet dort, wo zum Beispiel der *Nouveau Roman* nur noch Angleichung, Konformismus an die Langeweile eines genormten Konsumgeschmacks ist, den anarchischen Widerstand einer lebendigen Menschenstimme.

Auch in der Auffassung des Erzählens zeigt sich ein deutlicher Abstand zur scheinbar so ähnlichen Erzählhaltung des

Nouveau Roman [49]. Wo letzterer auf die Person eines Erzählers angeblich verzichten kann und die Dinge sprechen läßt, entzieht sich der Diarist dieser Fiktion und bekennt sich zur Fabel der eigenen Erfahrungen, zu deren Einmaligkeit, die Gelingen und Mißlingen in sich schließt: «Existenz hat sie (die Fabel) allein in ihren Niederschlägen, man kann sie nicht destillieren, es gibt sie nur in Kristallisationen, die, einmal vorhanden, nicht mehr auszuwechseln sind, gelungen oder mißlungen – ein für allemal.» (*T.* 268) Werner Webers Kommentar zu dieser Erzählsituation trifft ins Schwarze: «... ich sehe, wie oft in den letzten Jahren die Krise des Romans nichts anderes als das schlichte Unvermögen des Schreibers war. Ein Unvermögen, das sich mit Künsteleien tröstete und mit fruchtlosen Mühen. Max Frisch überspringt, läßt die Krise hinter sich. Zwar kennt er die Geschichte, die darin besteht, daß die Geschichte nicht erzählt wird. Aber für ihn wird das kein Programm, das man absolvieren muß. Seine Fragen, das fragende Dasein selbst – ursprünglich, fast möchte man sagen: natürlich – bildet eine Form des Erzählens aus sich heraus, deren Baugesetz in Berechnung und Kunst widerstrahlt von Ursprünglichem, Natürlichem [50].» Das «Baugesetz» liegt in der Kunst des Tagebuchs beschlossen. Frischs Kritik am Abstrakt-Spielerischen neuerer Literaturformen fußt wiederum auf dem Prinzip der Wahrhaftigkeit, das im Bekenntnis zum limitierten Gesichtsfeld des subjektiven Tagebuchstandpunkts deutlich wird: «Ich weiß nicht, wie lange das Abenteuer, das darin besteht, daß der Zuschauer sich als Narr erlebt, wenn er Sinn erwartet, als Abenteuer besteht; denn der Mensch hat einen seltsamen Hang zum Sinn [51].» Der Sinn der Tagebuchgestaltung liegt nun nicht mehr – und darin liegt die entscheidende Abwendung von der Verbindlichkeit traditioneller ästhetischer Formen – in der Erfüllung einer poetischen Vorlage. Das literarische Tagebuch ist nicht Formkunstwerk, sondern ganz Sprachkunstwerk, ein linguistisches Spiel, in dem als Ziel nicht die Vollendung der Form angestrebt, sondern die Grenzen des noch Sagbaren angepeilt werden. Das Wort «anarchisch» ist gefallen. Anarchisch ist die Kunst des literarischen Tagebuchs insofern, als der unwiederholbare Pulsschlag eines individuellen subjektiven Erlebens einer großartigen Einmaligkeit die Grenzen setzt, dem Einmaligen einer wahrhaftigen Kreatürlichkeit. Nicht die psychologische Tiefe einer fiktionalen Persönlichkeit, nicht das philosophische Denkmodell einer überschaubaren Welt werden glaubwürdig, sondern ein Leben, singulär, unnachahmlich und gerade dadurch von einer Öffentlichkeit, die nicht zur Nachfolge verpflichtet, sondern zum Nachdenken. Man kann nach der Lektüre der Tagebücher nicht «à la Frisch» leben, so wie man einst «à la Werther» oder «à la George» zu leben vorgegeben hat. Das literarische Tagebuch leistet keinen Beitrag zu einem höheren Gesellschaftsspiel. Es deutet in seinem freien Dialog mit der Öffentlichkeit als Partner auf das einzige Spiel hin, das es zu spielen gibt: auf das Abenteuer des Sich-selber-Erkennens hinter der Maske der Sprache, unter den Zwängen der gesellschaftlichen Beeinflussungen, der Beeinflussung durch die vorgeformten Reize. Die künstlerische Wertung des literarischen Tagebuchs beginnt mit der Anerkennung dieser anarchischen Haltung als einem möglichen Kunstprinzip.

3. Diaristische Epik

Im allgemeinen Sprachgebrauch verbindet sich mit dem Ausdruck des Anarchischen die Vorstellung des Staats- und Gesellschaftsfeindlichen, des irrational Destruktiven. Diese aus der historischen und politischen Praxis abgeleitete Begriffsdimension unterlegt, vom Gesichtspunkt der bürgerlichen Gesellschaft aus, dem Sinnkomplex des Anarchischen eine derart eindeutig negative, äußerlich zerstörerische Bedeutung, daß sich der Ausdruck aus diesem gesellschaftlichen Bedeutungszwang heraus als unbrauchbar für die Definition einer immerhin in einer spätbürgerlichen Gesellschaft geschaffenen Literaturform zu eignen scheint. Indessen verpflichtet uns gerade die Erkenntnis, daß dieser Begriff in einseitig politischen Bereichen erstarrt ist, zu einem Neuüberdenken seines ursprünglichen Gehalts. Peter Demetz zitiert in seinem Buch über die deutsche Literatur seit 1945[52] Madame de Staël, die in des Wortes ursprünglicher Bedeutung spricht, wenn sie gerade der deutschen Literatur ihrer Zeit – der Zeit des deutschen Idealismus also – das Attribut einer *douce anarchie* zulegt. Das Unbotmäßige, Individualistisch-Freiheitliche, das später dem bombenwerfenden politischen Anarchisten seinen Schreckensruf gab, bezieht sich demnach, von der klugen Literaturbeobachterin angewendet, auf die Epoche der Loslösung des deutschen Schrifttums aus den Banden der französischen Formdiktatur, auf den «Geist der Goethe-Zeit», bevor er in der Retrospektive durch die Literaturwissenschaft, der eigenen bürgerlichen Weltanschauung und Gesellschaftsordnung zulieb, zur sogenannten Klassik erstarrt. Daß gerade die «Klassiker» zunächst als Formzertrümmerer auftraten, daß sie sich Maße und Grenzen ihrer Kunst selber schufen, ist im geschichtsfeindlichen Historismus der traditionellen Literaturwissenschaft verlorengegangen. Zu ihrem Sündenfall gehört der der Naturwissenschaft abgeguckte, am Objekt der lebendigen Dichtung jedoch nur bedingt taugliche Versuch der kontinuierlichen Systematisierung, entweder in Gattungen und Formkategorien, in Stile und Stilepochen, oder aber, auf die neuesten Richtungen bezogen, in Motive und linguistische Strukturelemente. Ob die Ergebnisse dann sinnvoll sind, wird nicht gefragt, solange diese nur schön verpackt und etikettiert, in die genormten Büchsen gezwängt, bereitliegen. Literaturwissenschaft unterscheidet sich häufig vom Schmetterlingssammeln nur dadurch, daß die aufgespießten Anschauungsexemplare trotz Nadeln und Äther fröhlich weiterleben. Literaturverständnis erfordert Nachdenken im ursprünglichen Sinn des Wortes, als Nachvollziehen einer geschichtlichen, gesellschaftlichen und geistigen Situation, deren Einmaligkeit die Würde, deren Erfassung und Gestaltung den Rang des Kunstwerks bestimmt.

Wenn wir, um den anarchischen Kunstbegriff aufzugreifen, in ihm eine Haltung und nicht einen aus dieser Haltung entwickelten zerstörerischen Aktivismus erblicken, so werden wir in der Tat verschiedene Züge der Tagebuchkunst im anarchischen Begriff beschlossen finden. Ausgangspunkt ist zunächst der bewußte, offen erklärte Subjektivismus, diese so leicht mißverständliche Ich-Haltung des Erzählers, die mit der literarischen Autorschaft im bürgerlichen Sinne, im Sinne der Seherposition, bricht. Was sich dabei ändert, ist zunächst der oft mißbrauchte Begriff der «dichterischen Freiheit», die bislang als «freies» Walten einer schöpferischen und eigenwilligen Phantasie innerhalb der von Kunstkritik und Gattungstheorie vorgegebenen Regeln und Grenzen verstanden wurde. Das subjektive Bekenntnis des Diaristen reißt diese ästhetischen Barrikaden nieder, indem es ihnen mit der offenen Form des Fragments und der ausklingenden, ins Zukünftige weisenden Frage einerseits, mit der Einbeziehung und bewußten Konfrontierung von gebundener und dokumentarischer Aussage andererseits die sorgsam gehüteten Bestände der Literaturtheorie über den Haufen wirft. Was mit dem Tagebuch entsteht, läßt sich nicht einmal in «Mischkategorien» fassen. Sein künstlerisches Gelingen geschieht in den außersystematischen Bereichen der elementaren individuellen Sprachsensibilität des Schriftstellers und dem von ihm selbst gewählten artistischen Ethos der Wahrhaftigkeit. Von der Literaturkritik erfordert die Erkenntnis der sprachlichen Aussagekraft des Tagebuchs – die sich im Falle Frischs häufig dahin verlegen äußert, das *Tagebuch 1946–1949* sei eines der bedeutenden Dokumente deutschen Schrifttums der Nachkriegsepoche[53] – ein klares und offenes Bekenntnis zu einer poetischen Grundhaltung, die der traditionellen Ästhetik widerspricht.

Der Begriff des Anarchischen schließt unterschwellig auch die Bedeutung des Chaotischen in sich ein: das Chaos als Äquivalent einer ungestalteten, ungeistigen, unkünstlerischen Welt, dem Schöpfungsgedanken abhold. Schöpfung, als Überwindung des Chaotischen, wird in unserer religiösen Überlieferung gleichgesetzt mit der Sonderung in Formen und Kategorien, in erkennbare Scheidung zwischen Licht und Dunkel, in Klassifizierung in Gattungen und Spezies, in der Herausarbeitung eines einzigen erkennbaren Ordnungsprinzips, das, um die Unerklärlichkeit des menschlichen Existenzbewußtseins zu überspielen, sogar ins Transzendentale weitergeführt wird. Erst die moderne Anthropologie hat dem theologischen Gedanken des «ewig Menschlichen» die nüchterne Erkenntnis der evolutionären Relativität der gegenwärtigen Spezies *homo sapiens* entgegengehalten. Daß die Ablösung des theologischen durch das naturwissenschaftliche

Weltbild sich elementar auf die individuelle Ästhetik des Dichters auswirken mußte, wird von der Literaturwissenschaft mit hartnäckiger Verbissenheit ignoriert. Noch gelten dort die Ordnungskategorien einer letztlich theologischen Weltschau, selbst wenn einzelne Kunstkritiker für sich persönlich ein durchaus materialistisch-atheistisches Weltbild gelten lassen. Nach wie vor orientiert sich – wenigstens im bürgerlichen Bereich – die Vorstellung des schöpferischen Menschen nach dem faustischen Prinzip, dem durch sein strebendes Bemühen die Übertölpelung des wunderlichen Sohnes des Chaos immer wieder gelingt. Der moderne Künstler, insbesondere der Schriftsteller, kann mit dieser Dualität nichts mehr anfangen, nicht einmal im Ansatz einer vereinfachten Dialektik. Der Erlösungsgedanke ist längst aufgegeben. Nicht im Erlöstwerden sieht der Dichter die Zielsetzung seines Lebens und Schaffens, sondern im Bestehen, im Aushalten, das nur durch Verstehen und Gestalten erreicht werden kann. In diesem Zusammenhang wirft er dem Chaotisch-Formlosen nicht das ideologische Modell einer vorgedeuteten Welt entgegen, sondern das anarchische Prinzip einer sokratischen Bescheidung, die in ständiger Reflektiertheit des eigenen beschränkten Gesichtsfeldes sich mit eben diesem eingegrenzten Horizont als einzig legitimem Wirkungsbereich zufriedengibt. Das Chaotische wird nun aber nicht einfach in einem Mikrokosmos gebändigt. Aus dem beschränkten Gesichtsfeld wird nicht «die Welt». Das Anarchische drückt sich vielmehr darin aus, daß der Kleinhorizont der Einzelanschauung durch das Skizzenhafte, das Fragmentarische sich zur legitimen Perspektive öffnet, einer Perspektive, die nicht mehr erfaßt und klärt, sondern tastend die Richtung weist, wo hinter dem Horizont des Einzelschicksals sich neue Ebenen eröffnen. Am Ende steht das Prinzip Hoffnung, nicht die Hoffnung auf schließliche Erkenntnis, sondern Hoffnung als Blick ins gelobte Land, das nur erahnt, niemals erfaßt werden kann. Der anarchische Dichter findet seine Freiheit, indem er die Grenze des Sagbaren immer wieder zu erreichen und sie nie zu überschreiten sucht – um des Unsagbaren, des Wahren willen. Die Grenze des Sagbaren ist jene tönende Grenze, die jeder Formgebung entgleitet. Die Sprache des anarchischen Schriftstellers erweist ihre künstlerische Gültigkeit darin, daß sie das fragende Dasein souverän widerspiegelt als linguistisches Spiel mit Berechnung und Kunst – Schachspiel und Hasardspiel zugleich. Diese Sprache läßt sich nicht imitieren, wie etwa Thomas Manns «kostümierte Essayistik». (*T.* 241) Sie erfüllt sich künstlerisch auf dem zitternden Schnittpunkt des Bewußtseins von Essenz und Existenz: gelungen oder mißlungen, ein für allemal.

Das Element der Berechnung im Tagebuch, des intellektuellen Abwägens von Sagbarem und Unsäglichem, als redliches Spiel mit den Möglichkeiten sprachlicher Aussage, behält seine klaren Grenzen der romantischen Aussageart gegenüber dadurch bei, daß es über die Subjektivität einer Anschauung, der klaren Trennung zwischen Erlebnismuster und bewußten Fiktionen nie einen Zweifel aufkommen läßt. Es gibt eine anarchische Romantik, die aus einer maßlosen Ich-Überhöhung lebt, die außer dem schrankenlosen Ich-Gefühl keine anderen Kriterien der Betrachtung gelten lassen will. Am Ende dieser Übersteigerung steht die Verzweiflung oder der Wahnsinn, da das übersteigerte Ich früher oder später an die Mauer der gesellschaftlichen Wirklichkeit prallen wird. Solche Eskapaden des anarchischen Ichs enden gewissermaßen immer im Tollhaus von Charenton, das dem Verzweifelten ein Gefängnis ist und nur vom Wahnsinnigen als Welt gesehen werden kann.

Eine weitere Spielart des anarchischen Ich-Gefühls kann auch der berechnende Wahnsinn sein, der bewußte Austausch von diskursiv erkennbaren Sinnzusammenhängen durch das Absurde, Sinn-Verletzende. Frisch hat sich verschiedentlich scharf gegen das Spiel mit dem Absurden gewandt, zuerst in dem oben zitierten Satz aus der Büchner-Rede, in dem er das Spiel mit dem Absurden als unlauteres Spiel mit dem Zuschauer darstellt, der vom Schriftsteller Sinn erwartet und sich nun als Narr erleben soll. Frischs Kritik am Absurden als System der Weltschau kümmert sich indessen weniger um die Gefühle des mißbrauchten Zuschauers; sie wirft der absurden Literatur vor allem vor, die Schwierigkeiten der Wirklichkeitswiedergabe zu umgehen, indem sie die Existenz des Wirklichen, die *De-facto*-Wirklichkeit, einfach leugne.

Das Absurde als anarchische Manifestation eines darstellenden Ichs läßt Frisch nur bei religiösen Dichtern gelten, bei Beckett etwa oder bei Dürrenmatt (der sich selber gegen den Begriff des Absurden in seinem Werke wehrt und nur die Wörter «grotesk» und «paradox» angewendet wissen will), wo er es als Kierkegaardschen Ausdruck für das Phänomen des Glaubens schlechthin verstanden haben will. Für den atheistischen Dichter, dem der Zugang zur Glaubenswelt verbaut ist, bleibt in Frischs Augen das Absurde lockeres und sinnloses Spiel. Jedes Spiel aber, und das gilt, wie wir erfahren haben, für die Kunst schlechthin, muß sinnvoll sein, was wohl zu besagen hat, daß die vom Künstler mit seinem Spiel errichtete Gegenwirklichkeit sich für die Behausung des Geistes eignen muß. Mit der Bemerkung «es hat keinen Sinn» schließt Frisch diejenigen Spielvarianten aus, die unter falschen Voraussetzungen gespielt werden: das Spiel mit dem Absurden, hinter dem nicht die echte Verzweiflung des Glaubenden steht, sowohl als das Spiel mit dem dokumentarisch Beweisbaren, solange die Dokumente an sich offen daliegen und ohne das Dazutun des schriftstellerischen Arrangeurs, ohne seine tendenziöse Auswahl eine Authentizität ausstrahlen, die durch die künstlerische Bearbeitung verlorengeht: «Wenn nämlich einer, Sie oder ich, sich hinstellt und nun die authentischen Sätze von Kaduk, einem KZ-Mann, spricht, so wird die Authentizität dadurch herabgesetzt, daß gespielt wird. Und das macht keinen Sinn. Denn das, was zum Beispiel das Stück *Die Ermittlung* mitteilt, evoziert, das hab' ich auch in den reinen Dokumentationen, und zwar meiner Meinung nach sehr viel stärker, nämlich sehr viel genauer. Ob das nun noch Literatur ist oder nicht, weiß ich nicht, aber es macht keinen Sinn ... *makes no sense.*» (I. 9)

Zwischen der Unverbindlichkeit des Absurden und der pseudo-authentischen Sinngebung des Dokumentarischen findet sich die Position des anarchischen Tagebuchstils. Sein Anarchismus drückt sich nicht aus im absoluten Anspruch der romantischen Ich-Position, nicht im Angriff auf den Sinngehalt des Anschaubaren, wie ihn der atheistische absurde Dichter vertritt, aber auch nicht in der naiv-titanischen Aufklärungsposition des dokumentarischen Weltverbesserers. Anarchisch wird für ihn das Bewußtwerden der Spielposition, in der unter den existentiellen Gegebenheiten ein sinnvolles Spiel zwischen Traum und Wirklichkeit, das uralte Spiel der Dichtung, gespielt werden kann. Die anarchische Freiheit, die er beansprucht, bedeutet Befreiung von Traditionsverpflichtung – der poetischen Form, der Metapher und allen Ideologien «mit ihren tödlichen Fronten» gegenüber. Es ist ein einzelkämpferischer Anarchismus, der sich für einmaliges Leben durch die Darstellung dieser Einmaligkeit bewähren muß und der sich daher niemals für Weltanschauung halten kann. Um einen optischen Vergleich herbeizuziehen, könnte man den anarchischen Stil des literarischen Tagebuchs mit einem Kaleidoskop vergleichen. Dem Auge bieten sich immer neue Farb- und Formkompositionen, Kombinationen und Ornamente an, die im nächsten Augenblick wieder verschwinden, für immer. Das Auge des Schauenden nimmt teil an diesem immerwährenden Wandel, ergreift flüchtig eine Kombination, die, vom Geist gedeutet, in einen Sinnzusammenhang gehoben wird: Die plötzliche Idee wird durch eine Geschichte ausgedrückt, während sich das Kaleidoskop schon weiterdreht[54]. Die Epik, die dadurch entsteht, weist alle Charakteristiken einer echten künstlerischen Erzählform auf, außer dem Ziel und dem Abschluß. Erzählen heißt sichtbar machen. In der anarchischen Erzählweise beschreiben die entstehenden Sprachbilder nicht eine ideologisch vorgeformte Welt, sondern eine Welt, die ständig im Vergehen ist und immer neu entsteht. Poetischer Traum und anschauungshaftes Erlebnismuster bilden die sich ständig überschreitenden Komponenten eines Daseins, das sich nicht selber deutet, sondern erlebt. Der kartesische Satz wird gleichsam umgedreht: Aus dem anarchisch-elementaren Erlebnis des Daseins ergibt sich die Reflexion. In der anarchischen Erzählweise des Tagebuchs wird die durch Technik und literarische Tradition geschaffene Verfremdung des wirklichen Lebens[55] durch eine verfremdete Erzählform wieder aufgehoben und rückgängig gemacht. Erzählen bedeutet in jedem Fall Verbalisierung von etwas Unbekanntem. Welt wird erst, indem sie erzählt wird. Durch den anarchischen Aufbruch aus der literarischen Tradition der Form- und Motivvorlagen gelangt der Erzähler in das letzte und immerwährende Reich der Freiheit: zu den Kontinenten der eigenen Seele.

III. TEIL

DIE ANWENDUNG DER TAGEBUCHIDEE
IM GESAMTWERK MAX FRISCHS

Vorbemerkung

Die meisten Monographien, die sich mit Frischs Gesamtwerk befassen, betonen die zentrale Wichtigkeit des *Tagebuchs 1946–1949* als Schlüssel zum Verständnis von Frischs Dramen und Romanen. Dabei wird das Tagebuch jedoch rein stoffartig in Betracht gezogen, indem sich in ihm tatsächlich sämtliche Motive, Grundgedanken und Figuren der späteren fiktionalen Werke in Form von Skizzen finden. Wäre das Tagebuch lediglich ein Ideenmagazin, wie es so manche andere Tagebücher von Künstlern sind, so bliebe immerhin eine wichtige Frage offen, die bis anhin von den Bewunderern des Tagebuchs nicht beantwortet wurde: Das *Tagebuch 1946–1949* erfaßt einen Zeitraum von vier Jahren. Außer den Begegnungen mit Brecht, die sich stofflich nicht manifestieren[56], scheinen diese vier Jahre im Leben des Künstlers keine umwälzenden Entscheidungen und keine Krisenpunkte aufzuweisen, wenigstens treten solche nicht im vorgelegten Tagebuchtext hervor. Die Stoffe, die in Form von Skizzen vorliegen, tragen keineswegs die Merkmale der großen Stoffe, zu denen sie dann später unter den Händen des Schriftstellers wurden. Sie sind vielmehr deutlich erkennbar als zufällige Einfälle, Blumen, die am Wege aufgelesen und zu einem losen Strauß zusammengelegt werden. Die Frage drängt sich auf, ob ein Künstler mit der Vitalität und der Gestaltungskraft Frischs, ein Epiker, dessen unbändige Erzähl- und Fabulierlust sich etwa im Gantenbein-Roman oder in den erzählerischen Exkursen des Gefängnisinsassen Stiller manifestiert, es nötig gehabt habe, volle zwanzig Jahre vom Ideenmagazin eines vierjährigen Tagebuchs zu zehren. Die Antwort auf diese Frage kann nur gefunden werden, wenn Frischs Tagebuch als zentrale künstlerische Entdeckung Frischs, als Nukleus seines Gesamtwerks, gesehen wird. Gerade der Umstand, daß die berühmten «radikal gleichen Themen» ihre Genesis eindeutig im *Tagebuch 1946–1949* haben, die Tatsache auch, daß Frisch sich zwanzig Jahre lang streng im Stoffbereich des *Tagebuchs* bewegte, lassen sich auf einen künstlerischen Entschluß zurückführen, der mit der Entdeckung der Tagebuchform als der dem Schriftsteller Frisch gemäßen, der stimmigsten Erzählform zusammenfällt. Als ihn Bienek in seinem Werkstattgespräch auf seine Vorliebe für die Tagebuchform ansprach, entgegnete Frisch beinahe unwirsch:

Diese Frage, Herr Bienek, gefällt mir gar nicht. Es stimmt, was Sie sagen: *Die Form des Tagebuchs, so wie ich es für mich entwickelt habe –* ich spreche jetzt nicht von dem privaten Tagebuch, das man als junger Mensch einmal geführt und dann vernichtet hat, als der Selbstbespiegelung zwar nicht ein Ende zu setzen, aber eine Grenze; ich spreche vom Tagebuch als *literarischer Form –*, angefangen bei dem erwähnten kleinen Tagebuch eines Soldaten, der 1939 mit dem Überfall der deutschen Wehrmacht auf die Schweiz rechnete, dann das Tagebuch der Nachkriegszeit 1946 bis 1949, das über ein Logbuch der Zeitereignisse hinausgeht, das die Wirklichkeit nicht nur in den Fakten sucht, sondern gleichwertig in Fiktionen, schließlich der Roman *Stiller*, vorgelegt als Tagebuch eines Gefangenen, der sich selbst entfliehen will, auch der Roman *Homo faber*, vorgelegt als Tagebuch eines Moribunden: Man kann wohl sagen, die Tagebuchform ist eigentümlich für den Verfasser meines Namens, Sie haben recht – gerade darum behagt mir Ihre Frage nicht. Stellen Sie sich vor, ein Mann hat eine spitze Nase, und Sie fragen ihn zuhanden der Leser: Woher kommt Ihre Vorliebe für eine spitze Nase? Kurz geantwortet: Ich habe keine Vorliebe für meine Nase, ich habe keine Wahl – ich habe meine Nase.

Bienek: Schreiben Sie jetzt auch noch Tagebuch?
Frisch: Nein. (*Bienek* 26 f.)

Es ist auffällig, daß nur wenige Frisch-Kritiker in den letzten Jahren auf diese Stelle hinwiesen und daß denjenigen, die sie zitierten, das Wesentliche an Frischs ironischer Antwort entgangen ist: Bienek bewog den Autor dazu, etwas brummig zuzugeben: «Die Form des Tagebuchs, so wie ich es für mich entwickelt habe [...] ist eigentümlich für den Verfasser meines Namens.» Der Interviewer in Frischs Werkstatt gleicht einem Besucher, der unerwartet hinter das Geheimnis der Legierung kommt, mit der der Meister seine Kunstgegenstände schmiedet. Frischs offensichtliches Unbehagen über Bieneks Frage und sein Versuch, sich hinter dem Vergleich mit der «spitzen Nase» zu verbergen, anstatt eine direkte Antwort zu geben, deuten an, daß der Interviewer mit seiner Frage eine sehr wichtige, wenn nicht die entscheidende Ausgangsposition für Frischs bis anhin fruchtbarste Werkperiode enthüllte. Der Hinweis des Autors auf «die Form des Tagebuchs, so wie ich es für mich entwickelt habe», sollte uns besonders beschäftigen. Hier bekennt sich Frisch zum Tagebuch als zu seiner persönlichen Kunstform und wehrt sich dagegen, es mit bekenntnishaften und autobiographischen Diarien früherer Jahre in einer Kategorie zu sehen.

In diesem Zusammenhang sei noch eine interessante Komponente von Frischs Frühwerk erwähnt. Es ist bereits gesagt worden, daß der Autor sich an einem bestimmten Zeitpunkt seines frühen Schaffens dazu entschloß, die angesammelten autobiographischen Tagebuchskizzen und dichterischen Entwürfe seiner Jugend feierlich zu verbrennen und der Schriftstellerei «auf ewig» abzuschwören, eine Tat, die mehr als nur zufällig an Kleists Autodafé nach dem Scheitern seines Lebensplans erinnert. Schon in Frischs Roman *Die Schwierigen* wird auf diese Parallele direkt Bezug genommen[57]. Bei genauerer Betrachtung dieses entscheidenden Abschnitts in Frischs künstlerischem Leben ergeben sich – äußerlich und innerlich – weitere Parallelen zu Kleist. Außer dem äußeren Anlaß, der Kleist zur Verbrennung seiner Schriften nötigte – der Überzeugung, als Künstler gescheitert zu sein –, ist bekanntlich noch der andere Grund verantwortlich: das Scheitern eines Lebensplans nach der Lektüre von Kant. Kleist darf als einer der ersten großen Dichter der deutschen Literatur bezeichnet werden, für die die Erfahrung des «Verlusts der Mitte» – als persönliche Erfahrung – zutraf. Im Gegensatz zum «heutigen» Frisch jedoch, dessen Bewußtsein sich mit einem antiideologischen und skeptischen Zeitgeist berührt, fand Kleist eine Welt der festen, starren Glaubens- und Philosophiesysteme vor, deren Haltbarkeit für die Zukunft von Kants Rationalismuskritik nur angezweifelt, aber noch nicht erschüttert worden war.

Zu Kleists berühmtesten Prosaskizzen gehört bekanntlich

der Aufsatz über das Marionettentheater, in dem in symbolischer Weise die Parallele zwischen verlorener Mitte und verlorenem Paradies gezogen wird. Frisch nennt sein erstes künstlerisches Tagebuch *Tagebuch mit Marion* und beginnt es mit einer Erzählung von einem Marionettenspieler, der – wie sein Name suggeriert – mit seinen Marionetten eins ist, «unbefangen wie ein Kind», der in «Andorra» (der Name fällt bereits auf der zweiten Seite) mit seinen Puppen auf den Straßen Passionsspiele veranstaltet, «Christus als Puppe». Die Geschichte schildert einen «vermeidbaren Irrtum» des Candide/Marion, der mit dessen Selbstmord endet. Der Irrtum besteht darin, «daß Marion offenbar meinte, die Wahrheit irgend eines Namens liege auf seinen Lippen oder in seiner Feder; er hielt es für Lüge, wenn die Menschen bald so, bald anders redeten; eines von beiden, meinte er, müsse eine Lüge sein». (*T.* 19) Wie wir uns erinnern, geht der Diarist von der Einsicht aus, daß seine Eintragungen und Reflexionen in ihrer ganzen Ambivalenz stehen bleiben müssen, indem sich gerade in der Veränderung einer Ansicht das wirkliche Verhältnis des Menschen zur Wahrheit, das gebrochene nämlich, darstelle: anstatt Wahrheit nur noch Wahrheiten. Marion, der Naive, der diese Brechung der Wahrheit erlebt, sieht sie in Kleistscher Manier: «... die Menschen, die Marion sah, bewegten sich nicht mehr von innen heraus, wie ihn dünkte, sondern ihre Gebärden hingen an Fäden, ihr ganzes Verhalten, und alle bewegten sich nach dem Zufall, wer an diesen Fäden rührte; Marion sah eine Welt von Fäden. Er träumte von Fäden [...] Er hatte spielen wollen; er hatte sich überzeugen wollen, daß es doch nicht so war, das mit den Fäden. – Aber es war so. Auch bei ihm selber war es so.» (*T.* 18/19)

Er sieht sich damit als Verräter, und wie Judas geht er hin und erhängt sich. Das Paradies, so lesen wir bei Kleist am Ende seines Aufsatzes über das Marionettentheater, sei verschlossen und der Cherub stehe davor. Nun sei es für uns nur noch möglich, es von hinten her wieder zu betreten. Werner Weber deutet vielleicht auf diese Zusammenhänge hin, wenn er über Frischs Werk sagt: «Ich meine, in diesem Werk werde inständig das Sein vor der Sünde gesucht[58].» Die religiösen Metaphern, bei Kleist noch selbstverständlich, wirken bei

Frisch auffällig und sind wohl nur über die Parallele zu Kleists Metapher vom Marionettentheater als Symbol der verlorenen Mitte erklärbar. Das berühmte «Du sollst dir kein Bildnis machen» muß ebenfalls als Ausdruck des verlorenen Paradieses gelten. Die Erkenntnis, daß wir «an Fäden aufgehängt» sind, hindert uns, die freie Bewegung «von innen heraus» zu vollziehen, die nur im unreflektierten Wahrheitsbesitz möglich ist, unsere Bereitschaft, «vom anderen ein Bildnis zu machen», unsere «Sucht nach Geschichten» drängt uns in ein Rollenspiel, das den Sinn der Wahrheit verdunkelt. Nur die Liebe hebt diese Selbsttäuschung wieder auf. Dieser Weg führt somit «von hinten her» wieder in das Paradies, aber es gibt noch einen zweiten, den des Künstlers, der auszieht, das Wunder zu finden: «Es bleibt noch immer das Wunder des Wortes, das Geschichte macht:

«Am Anfang war das Wort.» (T. 33)

Von hier aus gelangen wir zur Entdeckung des Tagebuchs als verbaler Manifestation dieser Suche nach der Wahrheit in Wahrheiten und nach dem unbekannten Antlitz des Paradieses, das plötzlich spürbar wird als Spannung, als «das Weiße zwischen den Zeilen».

Um die Auswirkungen der Tagebuchidee im Gesamtwerk Max Frischs zu demonstrieren, müssen wir eine Auswahl treffen, die sich – vom Thema her bestimmt – nicht an die übliche Gliederung in Genres – Romane auf der einen Seite und Dramen auf der anderen – halten kann. Auch eine chronologische Anordnung hat bei dem diachronischen Auftreten der Tagebuchelemente im dichterischen Werk dieses Schriftstellers wenig Sinn. Das Frühwerk, vor der Entdeckung des Tagebuchs geschaffen, muß von diesen Betrachtungen ausgeschlossen werden. Wir wollen uns vielmehr auf die bisher im ersten Teil unserer Betrachtungen erarbeiteten Kunstprinzipien des literarischen Tagebuchs besinnen und deren Erscheinen in den individuellen Stücken und Romanen Frischs aufzeigen. Der Sinn dieser Methode liegt darin, daß aus ihr hervorgehen wird, daß das Tagebuch weniger als Gattungsart, oder vielmehr -abart, denn als repräsentative und gültige Idee künstlerischer Aussage seine Struktur und seine Bewußtseinslage den anderen, gebundenen Sprachwerken Frischs mitteilt. Die traditionellen Adjektive der Literaturwissenschaft, wie «lyrisch», «episch» und «dramatisch», mit denen von der Grundlehre der drei Gattungen her meist gerade Mischelemente derselben angedeutet werden, werden dabei durch den Ausdruck «diaristisch» ergänzt, mit dem – es sei noch einmal unterstrichen – nicht auf die Gattung des Tagebuchs, sondern auf die gesamtheitliche Bewußtseinslage der Tagebuchsituation als Ausgangspunkt einer gegenwartsbezogenen dichterischen Einfühlung Bezug genommen wird. Aus diesen Gründen etwa werden sich beispielsweise die beiden Romane *Stiller* und *Homo faber* von der äußeren Tagebuchstruktur her in einer Kategorie finden, der Roman *Mein Name sei Gantenbein* und das Stück *Biografie, ein Spiel* zur Veranschaulichung des Fragmentarisch-Skizzenhaften aus dem Tagebuchgedanken gemeinsam behandelt werden, die Stücke *Andorra* und *Biedermann und die Brandstifter* wiederum zur Behandlung der diaristischen Metaphorik und Ambivalenz des Parabolisch-Stofflichen. In *Graf Öderland* drückt sich der anarchische Tagebuchgedanke besonders deutlich aus, in der *Chinesischen Mauer* wiederum Frischs Theorie von der chronologischen und der Erinnerungszeit. Daneben werden die einzelnen Tagebuchelemente durch ständige Hinweise auf alle maßgebenden Werke von Frischs bisherigem Gesamtschaffen ergänzt werden.

1972 ist das *Tagebuch 1966–1971* erschienen. Die Spanne von zweiundzwanzig Jahren, die die beiden Diarien trennt, ist ausgefüllt durch Frischs dramatisches Werk und seine Romantrilogie, deren künstlerische Ausgangsidee der Tagebuchgedanke ist. Im *Tagebuch 1966–1971* wird der letztere nicht mehr essayistisch entwickelt und theoretisch begründet. Er hat sich ja inzwischen in der künstlerischen Praxis als die diesem Autor gemäße Gestaltungsform bewährt. Außer einer langen Reflexion über das Erzählen in der Ich-Form findet sich im neuen Tagebuch keine Auseinandersetzung mit den Problemen des Schreibens. Daher muß das *Tagebuch 1966–1971* im Rahmen dieser Arbeit gesondert betrachtet werden als das, was es ist: ein in sich geschlossenes Kunstwerk, eine angemessene Form heutigen Erzählens, literarisches Zeitgenossentum.

1. Das Tagebuch als äußere Struktur: *Stiller* und *Homo faber*

Wir beginnen unsere Betrachtungen über die Anwendung der Tagebuchidee im Gesamtwerk Frischs mit einer Untersuchung der diaristischen Einflüsse in den beiden Romanen, die schon von der äußeren Struktur her als Tagebücher angelegt sind. In *Stiller* finden wir einen Untersuchungsgefangenen, der auf Wunsch seines Anwalts in einem Tagebuch seine Rechtfertigung niederlegt, im *Homo faber* sucht ein Moribunder, der vor der letzten Operation steht, sein Leben in Form eines diaristischen Rechenschaftsberichtes nachzuvollziehen. Wir wollen uns bei den beiden Romanen zunächst einmal auf die Erzählposition des Tagebuchschreibers konzentrieren und, am Beispiel eines hier rein fiktiven Erzähler-Ichs, die oben gewonnenen Einsichten über die Erzählhaltung des Diaristen nachvollziehen.

Der Roman *Stiller* beginnt bekanntlich mit der berühmten Behauptung «Ich bin nicht Stiller». Daraus ergibt sich beinahe mühelos die Thematik dieses Buches, die, mit «Identitätssuche» umschrieben, den Identitätsanspruch des «Nicht-Stiller» White gegen die faktischen Beweise seiner Umwelt – durch den äußeren Anlaß eines lapidaren Rechtsfalles ausgelöst (Ohrfeige für den Zollbeamten) – darzustellen sich bemüht. Die Identifikation des Erzählers als Tagebuchautor macht seine Position von vornherein klar: Es ist eine subjektive Position. Wenn er sein Leben erzählt, so steht, von Frischs Entdeckung her gesehen, von Anfang an fest, daß seine Geschichten Fiktionen sind, Rollen eines Ichs, das sich so und nicht anders zu sehen wünscht, und daß er gerade den untauglichen Versuch anstellt, sein Selbstverständnis zu verändern, indem er eine (unbefriedigende) Lebensgeschichte gegen eine andere austauscht. Verschiedene Kritiker haben, von augenfälligen Fingerzeigen verleitet, zur Auslegung dieses Romans die Kierkegaardsche Parallele herbeibemüht[59]. Frisch selber legt bekanntlich den Köder selber, indem er das Ganze unter ein Zitat aus *Entweder-Oder* stellt, das die Situation zu klären scheint[60]. Die Identitätssuche wird von diesem Standpunkt aus allzusehr von der *Suche* her gesehen. Für den Diaristen hat die Identitätsfindung nur einen Sinn, wenn die Suche bereits als aussichtslos aufgegeben worden ist. Aussichtslos wird diese Suche in dem Moment, da die grundsätzliche Voraussetzung gefunden wird, die Einsicht nämlich, daß wir aus der Fiktionalität unserer Selbstschau gar nicht hinausgelangen können, da «jedes Ich, das sich ausdrückt, eine Rolle ist». Der Identitätssuche wird durch diese Erkenntnis zunächst einmal das metaphysische Pathos genommen. Sie wird eigentlich reduziert zum Versuch der Selbstdarstellung, die schon an sich als Unmöglichkeit empfunden werden muß. Das eigentliche Thema des *Stiller*-Romans ist das Geschichtenerzählen als untaugliches Mittel der Identitätssuche. Wie im *Tagebuch* finden wir die diaristische Erzählstruktur als leitmotivliche Grundmelodie. Die Unmöglichkeit, ein Leben in Geschichten darzustellen, gibt, vom Tagebuch her gesehen, als subjektiver Irrtum den Grundton an. In den Geschichten etwa, die Stiller dem Wärter erzählt, drückt sich das objektive Irren in Form der bewußten Lüge aus. Dazwischen liegt die Parabel, die als offene Fiktion sich der Kategorie der «Lüge» entzieht, ohne deswegen «wahr» zu werden, da ihre Funktion als exemplarisches Beweismittel von vornherein feststeht. Aus diesen drei Erzählhaltungen, die ständig gegeneinander ausgetauscht, miteinander verglichen, ineinander gespiegelt werden (der Erzählgedanke des *Gantenbein*-Romans kündigt sich bereits hier an), baut sich der Roman auf. Der äußere Umstand, daß Nicht-Stiller durch faktische Beweise gezwungen wird, widerstrebend zu seiner früheren Identität zurückzukehren, müßte, wenn die Identitätsfrage thematisch im Zentrum läge, den Roman abschließen. Bekanntlich folgt aber noch der «Epilog», in dem der zusammengestauchte Protagonist, in plötzlicher Mittelmäßigkeit erstarrt, von seinem Freund, Rivalen und Staatsanwalt verfolgt wird, bis er am Schluß so sehr an Farbe verloren hat, daß er gewissermaßen in der Landschaft verdämmert: Er interessiert nicht mehr, er hat seine Funktion als Modell der diaristischen Erzählbarkeit einer Lebensgeschichte erfüllt. Sein Abgang, deutlich an Büchners *Lenz* erinnernd, bedeutet eine Entlassung aus dem Interesse des Autors. Das Nachlassen des Interesses an einem Gegenstand, das wir als diaristisches Aufhörprinzip erkannt haben, gibt dem ganzen Roman seine fragmentarische Form, die, zusammen mit dem Epilog-Anhängsel, von vielen Kritikern als Schönheitsfehler oder als Ausdruck gestalterischer Ratlosigkeit gesehen worden ist[61]. Vom Tagebuch aus, oder vielmehr von der Erzählhaltung des Tagebuchführers aus, werden beide Elemente glaubwürdig und stimmig. Das «Nachwort des Staatsanwalts» macht noch einmal deutlich, daß die Ich-Position des Stiller/Weiß-Erzählers subjektiv und nicht allwissend im «realistischen» Sinne ist. Daher auch der plötzliche Abfall vom Bildhauer und spannenden Erzähler Weiß zum unbedeutenden Kunstgewerbler Stiller. In der Ich-Erzählung, so wird hier bedeutet, erhebt sich jedes Ich, auch das mittelmäßige, durch unwillkürliche Stilisierungen und Interpretationen zu einer Bedeutung, die ihm objektiv nicht zukommt. Die trockene Schilderung von Stillers weiterem Lebensweg durch den befreundeten Staatsanwalt – einen juristischen Beamten also, von Berufs wegen gewohnt, Protokolle über Personen anzulegen – schiebt die Proportionen wieder etwas zurecht, wobei auch hier natürlich die «Wirklichkeit» der Darstellung relativ bleibt, nicht nur deswegen, weil man von der Persönlichkeit des Staatsanwaltes an sich wenig weiß, sondern wegen seiner dreifach bedingten Befangenheit, die sich aus seiner dreifachen Stellung zu Stiller ergibt: Er ist sein Freund, daneben hat Stiller einmal mit seiner Frau ein Verhältnis unterhalten, und drittens vertritt er im «Stiller-Prozeß» die Rolle des öffentlichen Anklägers (den Stiller ja nicht wegen Befangenheit ablehnen kann, ohne seine Identität mit dem Verschollenen sofort klarzumachen). Somit bleibt auch die «objektive» Geschichte des Staatsanwaltes fragwürdig; jedoch nicht so sehr wegen dessen Befangenheit, sondern wegen der Fragwürdigkeit von Geschichten an sich. Es wird deutlich, daß der Wahrheitsgehalt des staatsanwaltlichen Protokolls – eine Art Dokument also – ebensosehr dem Gesetz des subjektiven Irrtums untersteht wie das offene Geflunker Stillers gegenüber dem Gefängniswärter Knobel, dessen Vorliebe für «wahre Geschichten» von Stiller schamlos ausgebeutet wird. An der Enttäuschung des naiven Knobel, der schließlich dahinterkommt, daß der Massenmörder White in Wirklichkeit der ungleich harmlosere Landsmann Stiller ist, könnte dieser an sich die Untauglichkeit seiner Eigenerzählung als Ausgangsposition für eine neue Existenz ablesen: Die Wirklichkeit einer Identität hängt nicht von der Qualität der erzählten Geschichte und der Erzählfertigkeit des Erzählers ab. Sein Einlenken ist schließlich eine Kapitulation vor der eigenen Geschichte, vor dem Rätsel Julika, das sich seiner Selbstdarstellung nicht fügt und das er folgerichtig buchstäblich vernichtet, um dann allein mit seiner Geschichte leben zu können.

«Jedes Ich, das sich ausdrückt, ist eine Rolle.» Anatol Stiller lernt diese Erkenntnis des Diaristen nie, ebensowenig wie die Ansicht, daß die Zeit uns nicht verändere, sondern nur entfalte. Die Geschichte des Romans ist die Geschichte dieses Irrtums. Stiller hängt an den unsichtbaren Fäden, deren Existenz er nicht wahrhaben will. Als Marion diese Fäden erkennt, hängt er sich auf, oder vielmehr, der Erzähler hängt ihn zu den anderen Puppen. Über die Puppe Stiller zieht er den Vorhang des Verdämmerns.

Im *Tagebuch 1966–1971* schreibt Frisch von einer neuen Art von Puppentheater mit Marionetten in Menschengröße[62]. Die Rolle des sich selbst spielenden Erzählers würde in einem solchen Puppenspiel drastisch veranschaulicht. Die Totalisierung der Maske der Individualität zur holzgeschnitzten Puppe, die Sichtbarwerdung der Fäden im Theater würde auf dem Theater jene letzte Verfremdung ergeben, die in *Biografie* nicht erreicht worden ist: Individualität in Lindenholz geschnitzt. Das Spiel als höhere Existenzform träte hervor und damit auch die diaristische Maxime von der Zufälligkeit einzelner Erlebnismuster. Frischs Anliegen, die traditionelle Dramaturgie des schicksalhaften Ablaufs einer Handlungsvorlage durch eine Dramaturgie des Zufalls zu ersetzen, könnte durch diese Technik des totalen Theaters wirksam gestaltet werden.

Im *Stiller* wird das diaristische Prinzip der Zeit als Vergängnis besonders plastisch sichtbar. Der Untersuchungsgefangene befindet sich an einem Ort, wo vor allem die Erinnerungszeit eine Rolle spielt. Seine Gefängniserlebnisse beschränken sich auf die wenigen Kontakte mit Mitgefangenen, mit dem Gefängniswärter und auf die Besuche. Alle Erlebnisse, auch die Urlaube auf Ehrenwort und die Tatortbesichtigungen, befassen sich mit Stillers Vergangenheit und sind dazu angelegt, ihn zum Erlebnis zu zwingen. Wir erinnern uns: «Erfahrung ist ein Einfall, nicht ein Ergebnis aus Vorfällen.» Von der Gesellschaft aus gesehen, hat Stillers Inhaftierung den Sinn, ihn in eine Erfahrungswelt zurückzuzwingen, die er durch eine neue, in Amerika gewonnene überdeckt wähnte. Die Gesellschaft geht von der chronologischen Fixierbarkeit einer Biographie aus. Stiller gibt sein Spiel erst auf bei der Erfahrung der Vergängnis, die sich aus seinen selbsterzählten Geschichten ergibt. Das Spiel ist aus. Er hat keine Wahl, außer der, wie er sich zu der Tatsache seines näherrückenden Lebensendes stellen will. Dieser Schluß, der sich aus der diaristischen Zeittheorie ergibt, erscheint in Varianten in allen Werken Frischs. Vor der im Tagebuch gewonnenen Erkenntnis der tödlichen Vergängnis erübrigt sich die Fortsetzung des Spiels. Diese Schachmattposition wird vom Diaristen, der gewissermaßen Schach mit sich selber spielt, immer wieder erreicht. Die Figuren werden durcheinandergeworfen und neu aufgestellt. Das Spiel beginnt neu. Am Ende ist man immer wieder matt. Denkt man an die Kierkegaard-Zitate am Anfang des Romans zurück, wo von der Schwierigkeit der Wahl die Rede ist, weil in ihr die «absolute Isolation mit der tiefsten Kontinuität identisch ist», so finden wir hier wiederum einen Ansatz für die beiden Zeitmodelle des Tagebuchschreibers. Im zweiten Zitat wird die diaristische Lösung aus der Unmöglichkeit, sich in etwas anderes umzudichten, aufgezeigt: «– indem die Leidenschaft der Freiheit in ihm erwacht (und sie erwacht in der Wahl, wie sie sich in der Wahl selber voraussetzt), wählt er sich selbst und kämpft um diesen Besitz als um seine Seligkeit, und das ist seine Seligkeit.» Die Wahl, in ihrer aus der Vergängnis geborenen Unmöglichkeit, wird Spiel, das anarchische Tagebuchspiel der sterblichen Existenzerfahrung. Das «ironische Spannungsverhältnis zwischen Kierkegaardmotto und Romanverlauf», das Hans Mayer zu erkennen glaubt[63], erhält bei Berücksichtigung des Tagebuchelements neue Akzente. Die Ironie ergibt sich nunmehr nicht allein aus der Unerfüllbarkeit einer philosophisch-existentia-

listischen Maxime im Zeitalter des eingeschrumpften Individualismus. Sie erscheint auch in dem von der diaristischen Position aus erkannten Angewiesensein auf Erlebnismuster, aus
denen sich eine autobiographische Vergangenheit als Idee im
chronologisch-fiktiven Zeitnetz aufbaut.

Das Vergängliche ist bei Frisch nicht das Gleichnis einer
Weltordnung. Das Gleichnis des Vergänglichen ist die Vergängnis, kein Bild eines Ganzen also, sondern ein fließender
Zustand. Aber auch das Thema der Reproduktion wird ebensowenig im Sinne Walter Benjamins erfahren, wie dasjenige
der Wahl in die christliche Existenzerfahrung Kierkegaards
mündet. Hinter Stillers Erkenntnis, wir seien «Fernseher, Fernhörer, Fernwisser», steht einerseits das diaristische Erlebnis der
Idee, die eine Erfahrung in eine Geschichte kleiden muß, um
sie auszudrücken, andererseits die sprachliche Not eines späten
Schriftstellers, sich in einer völlig literarisierten Welt und im
Metaphergestöber glänzender Formulierungen und überholter
Vergleiche eine Erzählsprache zu erarbeiten, die wieder etwas
besagt. «Erzählen, aber wie?» Diese rhetorische Frage aus
Bin wird im *Stiller* beantwortet. Wir erinnern uns an die bio-
graphische Skizze des Tagebuchautors Frisch unter dem Eindruck des literarisch nicht mehr beschreibbaren, weil über-
literarisierten Paris[64]. So zwingt denn der Autor Frisch im
Stiller seinen Helden dazu, sich zu der Ausweglosigkeit seiner
Maskerade zu bekennen, indem er ihm Notizhefte in die Hand
drückt, in denen der Gefangene in diaristischer Manier über
seinen Bewußtseinszustand Buch führt. Erst in der diaristischen
Skizze findet Stiller die Freiheit, die er im Rollentausch so lange
vergeblich suchte: Die erste Station ist die Ironie. Die zweite
wird die Arbeit sein. Wenn Mayer den *Stiller* als «Künstler-
roman im Zeitalter der Reproduktion[65]» bezeichnet, macht er
dabei einen ähnlichen Fehler, wie er ihn denjenigen bürgerlichen Kritikern, die den Roman als Eheroman sehen wollen,
ankreidet. Vom Diaristischen aus gesehen, spielt ja die äußere
gesellschaftliche Existenz des Erzähler-Ichs nur die Rolle einer
zufälligen Voraussetzung für die Betrachtungsperspektive,
nicht aber Determiniertheit im marxistischen Sinn. Wichtig
ist weniger, daß Stiller ein Künstler ist, sondern daß er ein
mittelmäßiger Künstler ist. Alle «Helden» Frischs, vom «Heu-

tigen» in der *Chinesischen Mauer* über Stiller und Faber bis zu Kürmann in der *Biografie,* sind von einem Mittelmaß, das die diaristische Haltung betont, die ja für das Private kein Interesse zeigt, sondern nur für das *Wie* der individuellen Erlebnismuster. Selbst Don Juan ist mittelmäßig, wie sein kleinbürgerliches Resignieren als Gatte und Vater am Schlusse des Stückes zeigt. Sein Ruf als Verführer gründet sich ebensosehr auf einem Mißverständnis wie Kürmanns Ruf als Gelehrter auf dem sich nachträglich als Fehlschluß herausstellenden «Möwenversuch Nr. 411».

Es ist auffällig, daß sich die Mittelmäßigkeit der Frischschen Helden gerade nicht in ihrer gesellschaftlichen Stellung manifestiert. Wir finden unter ihnen Künstler mit Kunstpreisen, Ordinarii, Staatsanwälte, wohlhabende Geschäftsleute, Stützen der bürgerlichen Gesellschaft also, deren Mittelmäßigkeit gerade in der Beschlossenheit ihres Erfolgs in den gesellschaftlichen Spielregeln besteht. Auch *Faber,* der erfolgreiche internationale Ingenieur mit Penthauswohnung und Maitresse in New York, gehört zu dieser Kategorie. Listig lockt uns Frisch in die Überzeugung, der weltmännisch-elegante, weitgereiste Technokrat sei als Idealbild eines Heutigen durchaus akzeptabel. Wir ertappen uns dabei, mit seinen Gesprächsmustern und Wirklichkeitsanalysen übereinzustimmen. (Das traf im übrigen ja auch bei Stiller zu.) Frischs mittelmäßige Helden sind immer intelligent, ihre Mittelmäßigkeit beruht immer auf einem Versagen im Sinne einer Ich-Befangenheit, die es ihnen unmöglich macht, den Weg zum Du zu finden, zu lieben. Es ist dies nicht «Trägheit des Herzens», sondern Rollenirrtum, Beharren in der Rolle, die man sein Leben wähnt. Das Scheitern erfolgt aus der Diskrepanz zwischen gespielter Rolle und äußerer Wirklichkeit. Im Falle Fabers ist diese äußere Wirklichkeit eine biologische: das Inzestmotiv. Dieses Motiv ist von Frisch bewußt als Schockelement verfremdend eingesetzt worden, um den Leser zu zwingen, die Mittelmäßigkeit Fabers zu erkennen, die sich hinter all seiner weltmännischen Überlegenheit verbirgt. Frisch appelliert schlau an unsere tiefsitzende Tabureaktion, die bei uns ähnliche Gefühlslagen beherrscht wie die Götterfurcht bei den Griechen. Faber ist von uns, die wir die «öffentliche Meinung» vertreten, bereits gerichtet, er ist unmöglich geworden. Vom Moment seiner Tat an muß er die Heldenpose des Weltmanns fallenlassen, sein schäbiges Vorleben wird enthüllt, unser hämisches «Das hätten wir uns ja gleich denken können» aber tönt falsch, denn wir waren ja eben auf unseren Zeitgenossen sympathisch-identifizierend eingestellt. Für Faber selber bedeutet die Erkenntnis der Zusammenhänge Durchbruch zum Tagebuchbewußtsein. Ihn, den Technologen, stellt der unwahrscheinliche Zufall, sich in die eigene unbekannte Tochter zu verlieben, neben dem menschlichen auch vor ein mathematisches Problem. Die Formel des Tagebuchs: «Am Ende ist es immer das Fällige, was uns zufällt», wird neu überprüft und als ungenügend empfunden: «Die Formulierung aus dem Tagebuch wäre mir heute zu sehr – ich will nicht sagen Kalauer – aber zu sehr nur eine Formulierung, nicht ein wirklicher Gedanke, denn es kann auch das Unfällige sich ereignen. Der Begriff der Wahrscheinlichkeit heißt ja, daß es in 99 Fällen wahrscheinlich ist. Der hundertste Fall ist aber auch möglich. Mein Unbehagen mit der Dramaturgie, die wir gelernt haben: Daß eine Geschichte gezeigt wird, erzählt wird, gespielt wird, nur immer diese, also wie es im Leben ist [...] Sie können eine Tat, die Ihnen nicht gefällt, wieder gut machen, aber sie können sie nicht ändern [...] Also nimmt immer alles Geschehene einen Sinn an, den ich ihm nicht zuerkenne, nämlich es hätte so geschehen müssen, und so hat mich zum Beispiel die Dramaturgie zu einer Gläubigkeit, Fügungsgläubigkeit genötigt, die ich gar nicht habe.» (I. 5) Faber schreibt seine Aufzeichnungen im Krankenbett, in Erwartung der Operation, die über Leben und Tod entscheiden soll. Er spielt das Spiel seines Lebens rückwärts und entdeckt, daß sich seine Lebensgeschichte durchaus zu einer Schicksalstragödie antiken Maßes umfunktionieren ließe, wenn er gewisse Akzente anders setzte, seinen Handlungen nachträglich Motive unterschöbe, Ursache und Wirkung austauschte und vor allem an die Stelle der Wahrscheinlichkeitsrechnung den antiken Schicksalsglauben stellte. Somit wird sein Leben durch die Erzählung nachstilisiert. Daß diese Stilisierung bewußt geschieht, erkennt man aus der offenen Ironie, mit der den Erlebnismustern nachträglich literarisch-mythische Vorlagen angepaßt werden. Im Grunde handelt Faber nicht anders als die amerikanischen Touristen, die er verhöhnt, wenn sie mit den kalten Fischaugen ihrer Kameras mechanisch Landschaften knipsen, die dann erst später in der Reproduktion sich zu Erlebnisgeschichten addieren. Faber sieht sein Leben wie Arno Schmidt, als ein «Tableau von glitzernden snap-shots», die sich unter seinem Bewußtsein humanistisch-klassischer Bildungstradition zur Ödipus-Tragödie mit umgekehrten Vorzeichen lächerlich zusammenfügen. Einige Stellen seien hervorgehoben: Bei der Erkenntnis seiner peinlichen Tat sitzt er gerade im Speisewagen beim Essen. Sofort kommt das literarische Muster ins Bewußtsein: Man sollte eigentlich nun, wie Ödipus in der gleichen Situation ... Nächste Assoziation: Wie würde Ödipus in meiner Situation? ... Er sitzt da mit aufgestellter Gabel und Messer: So also! – Eine solche Szene darf schwerlich anders als ironisch gesehen werden. Ähnliches geschieht nach dem Tode der Tochter. Die «schicksalhafte» Schuld des Vaters ist offen, klar erkennbar. (Den Tod hat er allerdings nicht verschuldet, aber auch dieser Tod paßt ins antike Muster: Die «geschändete» Tochter darf nicht überleben.) Aber noch ist er nicht richtbar. Denn jetzt, so verlangt es Aristoteles, muß erst die kathartische Periode einsetzen. Faber verbringt sie auf Kuba. Daß er zur entscheidenden Operation nach Athen reist, wird mit Hannahs mütterlicher Fürsorge äußerlich begründet. Die Interpreten, die im *Homo faber* ernsthaft nach Symbolparallelen suchen, tragen buchstäblich Eulen nach Athen. Die Türen, die sie einrennen, sind schon längst vom Tagebuchschreiber Faber geöffnet, der alle mythischen Vorlagen schön anschaulich in die Fiktion seines Lebens eingebaut hat und der mit den letzten Worten des Romans gleich noch den antikischen Schluß mitliefert: «08.05 Uhr. Sie kommen ...» Gemeint sind die Ärzte, aber auch die Eumeniden, die Rachegöttinnen. Ob die Operation nun tödlich verläuft oder Heilung bringt, spielt keine Rolle mehr; das Spiel ist aus, das diaristische Spiel eines technologisch-pragmatischen Menschen mit seinem Bewußtsein, das ihm den Streich spielt, das Unwahrscheinlich-Mögliche seines Lebens nachträglich mythisch-schicksalhaft zu deuten. «Es stimmt» am Schluß alles, in dem Sinne, daß das Vorzeichen «Schicksalstragödie» ein banales Erlebnismuster konsequent zu dem zurechtstilisiert hat, was wir als Erben der antiken Tradition und ihrer Fügungsdramaturgie erwarten. Zu bedenken wäre, daß dem Klischee «älterer Herr, junges Mädchen» als solchem unzählige literarische Vorlagen hätten stehen können, vom *Tristan* bis zu *Lolita.*

Der Spezialfall des inzestuösen Verhältnisses, oder vielmehr das plötzliche Klarwerden der biologischen Besonderheit dieses Verhältnisses, macht den diaristischen Geschichtenmechanismus deutlich: Eine Erfahrung als plötzliche Idee kann sich nur in einer Geschichte nachträglich ausdrücken, und keine andere Geschichte liegt so greifbar nahe wie der ungeheure Frevel der antiken Tragödie. Wir erinnern uns an das neckische Metaphernspiel zwischen Sabeth und ihrem Liebhaber/Vater. Ihren kindlichen Klischeemetaphern aus der Mottenkiste der Beschreibungsliteratur hält er ein technisch geprägtes Vokabular entgegen, das ihm die sprachliche Schilderung der Natur seinem Bewußtsein entsprechend zu vollziehen scheint. Vor dem elementaren Geschehen versagt jedoch seine technische Terminologie. Es bleibt nur noch der Mythos, der, als fernes Erinnern gewissermaßen, plötzlich handlich bereitsteht und den er, in Ermangelung eines anderen adäquaten Erfahrungsmusters (heute würden ihm etwa anthropologische Untersuchungsergebnisse über das Thema «Inzest», wie sie etwa Mariam Slater entwickelt hat, zur Verfügung stehen), unwirsch aufgreift und zum analytischen Raster seiner Lebensgeschichte macht. Faber, der Technologe, ist natürlich in ganz besonderem Maße «Fernseher, Fernhörer, Fernwisser». Seine Mittelmäßigkeit zeigt sich dadurch, daß ihm beim einzigen Mal in seinem Leben, da er wirklich erlebt, nichts als ein literarisches Klischee einfällt. Dabei erkennt er den Zusammenhang zwischen erlebter und erzählter Wirklichkeit: «Wirklich sein, gewesen sein.» Der diaristische Nachvollzug des Erlebnismusters durch die Erzählung wird hier ausgesprochen. Das Klischee des Ödipus wird dem Leben Fabers ebenso nachträglich aufgezwungen wie das Klischee des Juden demjenigen des Nichtjuden Andri. Nur so hat dieses Leben nach außen einen Sinn. Wenn das Ödipus-Schicksal oder das Judenschicksal als die eigene Lebensgeschichte angenommen wird, erscheint das Tödliche: Die Protagonisten sind so gut wie tot. «Erkannt, mit sich selber identisch werden, das ist der Tod[66] –.»

Daß es sich bei der Anspielung auf die Ödipus-Geschichte um einen Nachvollzug handelt, geht aus der Undeutlichkeit der einzelnen Muster hervor: So präsentiert sich das Klischee dem Nachgeborenen, der es als abgesunkenes Kulturgut nur noch mühsam mit seiner eigenen Geschichte in Einklang bringen kann. Joachim Kaiser erkennt dies in seiner Bemerkung: «Zwar sind die Beziehungen zwischen Faber und Ödipus da, aber sie werden nicht konstitutiv, sie haben keine künstlerisch gestaltende Macht, sie gleichen nur mehr gebildeten Anspielungen[67].» Die Erklärung dafür haben wir aus der Tagebuchtheorie bereits gewonnen. Friedrich Sieburg hat, ohne im übrigen die Zusammenhänge zu ahnen, auf die diaristische Erzähltechnik im *Homo faber* hingewiesen: «Nicht uninteressiert, aber ohne Bewegung sehen wir zu, wie der Ingenieur, der so recht ein Ingenieur ist, sein Innenleben entdeckt und davon einen ‹Bericht› gibt, – anstatt daß er dem Schriftsteller Max Frisch die Aufgabe überläßt, über diese Verwandlung einen Roman zu schreiben[68].» Vom Tagebuch aus gesehen, ist die «Verwandlung» eine Entfaltung, die den technischen Determinismus des Ingenieurs Faber durchbricht. Gerade im fatalen Ärgernis seiner inzestuösen Tat zeigt sich das Leben als Summe aller Möglichkeiten. Die gespannte Verbindung zur Wirklichkeit wird hergestellt, die im technisch-naturwissenschaftlichen Denkmodell Fabers aufgehoben war. Jetzt erst erlebt, das heißt, *ist* er. Aber er ist nicht Ödipus, sondern ein magenkranker älterer Herr, dem bei der Ernsthaftigkeit seines Zustandes nur eben noch genug Ironie verbleibt, seine Geschichte sophokleisch zu verfremden. Ein anderes Beispiel: «Der Kopf einer schlafenden Erinnye», das Museumserlebnis mit Sabeth. «... ich wußte allerdings den Titel nicht, was mich keineswegs störte, im Gegenteil, meistens stören mich Titel, weil ich mich mit antiken Namen sowieso nicht auskenne, dann fühlt man sich wie im Examen ...» (*Homo faber* 136)

Die gymnasialen Kenntnisse der antiken Mythologie sind verblichen. Kein Wunder, daß Mythen nur noch der Spur nach zur Verfügung stehen. Auch die Ödipus-Sage gehörte dazu, wenn ihr nicht durch die Freudsche Auslegung die zweifelhafte Ehre widerfahren wäre, handliches Gemeingut des

Durchschnittsintellektuellen geworden zu sein. Als nächstliegendes Klischee von Faber zur Bewältigung seiner Vergangenheit aufgegriffen, erweist sie sich über weite Strecken nicht kongruent. «Es stimmt alles nicht», sagt Faber resignierend in seinem Tagebuch. Der Ingenieur findet keine adäquate Geschichte, die seine Erfahrung verständlich machen kann. Letztlich scheitert er, und darin besteht auch seine Erkenntnis, am Ungenügen der sprachlichen Ausdrucksmöglichkeiten schlechthin. Er, der als Techniker das Erlebnis sogleich durch die Analyse neutralisiert, leugnet spöttisch das Erlebnis als solches. «Ich habe mich schon oft gefragt, was die Leute eigentlich meinen, wenn sie von Erlebnis reden. Ich bin Techniker und gewohnt, die Dinge zu sehen, wie sie sind. Ich sehe alles, wovon sie reden, sehr genau: ich bin ja nicht blind.» (*Homo faber* 28 f.) Für Faber ist die dokumentarische und statistische Welt belegbare Welt ohne Rätsel. Er hält die *De-facto*-Wirklichkeit, die diskursiv erfaßbare, für die einzige schlechthin. Sein positivistischer Glaube ist nur getrübt durch die Unzulänglichkeit der Spezies *homo sapiens,* angesichts der Vollendung der Maschine, wie er es in seinen Gesprächen über Kybernetik seiner Tochter gegenüber zum Ausdruck bringt: «... die Maschine erlebt nichts, sie hat keine Angst und keine Hoffnung, die nur stören, keine Wünsche in bezug auf das Ergebnis, sie arbeitet nach der reinen Logik der Wahrscheinlichkeit, darum behaupte ich: Der Roboter erkennt genauer als der Mensch, er weiß mehr von der Zukunft als wir, denn er errechnet sie, er spekuliert nicht und träumt nicht, sondern wird von seinen eigenen Ergebnissen gesteuert (*feed back*) und kann sich nicht irren; der Roboter braucht keine Ahnungen –» (*Homo faber* 91 f.) Faber möchte so sein wie der Roboter, und er gibt sich alle Mühe, seinem Vorbild nachzueifern. Roboter haben vor allem keine Gefühle, und gerade an diesem Punkt stellt die Begegnung mit Sabeth Fabers wohlgemute technische Zukunftsgläubigkeit in Frage, denn der Computer vermag zwar die Analyse der Gegenwart und die Prognose der Zukunft zu leisten, mit der Vergangenheit aber weiß er nichts anzufangen. Die nicht mit technischen Mitteln zu bewältigende Vergangenheit ist Fabers Achillesferse. Von dort her, von hinten, überrascht ihn das Erlebnis, die Wirklichkeit als Ahnung von Zusammenhängen, ausgelöst durch den doppelten emotionellen *uppercut:* sich als Liebenden und als Vater zu fühlen. Der Kybernetiker muß erfahren, daß die Fakten sich selber nie aussprechen und daß die Erfassung aller Fakten durch die Kybernetik zu nichts führt, weil ihr die Ausdrucksfähigkeit fehlt, die letztlich nur durch den emotionellen Impetus des einzelnen geleistet werden kann. Er ist der Techniker, dessen Leben auf das Prinzip der absoluten mathematischen Ordnung aufgebaut ist, der nichts so sehr haßt wie das Chaotische der Natur, der die Technik als Kniff benutzt, um «die Welt als Widerstand aus der Welt zu schaffen, beispielsweise durch Tempo verdünnen, damit wir sie nicht erleben müssen». (*Homo faber* 211) Das alles «stimmt» am Ende für den Protagonisten nicht mehr. Einsehend, daß sein *De-facto*-Bewußtsein nicht ausreicht, sein Leben zu deuten, gelangt er zum diaristisch-anarchischen Schluß: Er gibt seine chronologische Uhrzeit auf zugunsten der diachronischen Erlebniszeit: «... standhalten dem Licht, der Freude ... im Wissen, daß ich erlösche im Licht über Ginster, Asphalt und Meer, standhalten der Zeit, beziehungsweise Ewigkeit im Augenblick. Ewig sein: gewesen sein.» (*Homo faber* 247)

2. Die Zeitebenen: *Die Chinesische Mauer*

Auch in einem der frühen Stücke Frischs, in der *Chinesischen Mauer,* unterhalten sich ein Mann und eine Frau, der «Heutige» und die chinesische Prinzessin Mee Lan, über die technische Erfaßbarkeit der Welt. Gerhard Kaiser hat darauf hingewiesen, daß sich ein Weg zum Verständnis des Stückes gerade vom scheinbar Regellosesten her anbiete: «... von der Aufhebung der Raum-Zeit-Ordnung. Mit dieser Eigenart ordnet sich die Form einem inhaltlichen Motiv zu, nämlich dem der Relativitätstheorie[69].» Der Heutige verkündet die Weisheitsformel seiner Zeit: «Energie gleich Masse mal Lichtgeschwindigkeit im Quadrat», die für ihn die Wirklichkeit einzufangen verspricht: Einen Absolutpunkt der Raum-Zeit-Messung gibt es nicht. Nicht die Wahrheit, aber wir sind so beschaffen, daß wir uns in Raum und Zeit zu erleben vermögen. Im Gegensatz zum Ingenieur Faber, der die Vergangenheit ausklammern möchte und dem nur die Zukunftsprognose als Wahrscheinlichkeitsrechnung erheblich erscheint, legt sich der Heutige in der Einsteinschen Formel mit der Vergangenheit fest, von der er fordert, daß sie endlich Erfahrungsstoff für das Verständnis und die Entscheidungen der Gegenwart liefere, deren Einmaligkeit er darin sieht, daß mit der Atombombe der Mensch noch einmal die Chance der Wahl habe, wie einst Adam: «Die Sintflut ist herstellbar. Technisch kein Problem. Je mehr wir (dank der Technik) können, was wir wollen, um so nackter stehen wir da, wo Adam und Eva gestanden haben, vor der Frage nämlich: Was wollen wir? Vor der sittlichen Entscheidung ... Entscheiden wir uns aber: Es soll die Menschheit geben! so heißt das: Eure Art, Geschichte zu machen, kommt nicht mehr in Betracht.»

Leitbilder unseres Geschichtsbewußtseins, Brutus, Philipp von Spanien, Kleopatra, Kolumbus, Napoleon, treten auf, nicht als Gespenster, sondern als eine Art Puppen, die für einmal nicht an Fäden hängen, sondern sich in einer Spieluhr (die wir in *Biografie* wieder antreffen) drehen. Die historischen Gestalten symbolisieren die Erinnerungszeit: Für uns sind sie als Persönlichkeiten der Geschichte, als Sinnbilder auch von weltgeschichtlichen Konstellationen Bestandteile unseres Bewußtseins, also allgegenwärtig. Das gilt auch für die «halb-historischen» Gestalten, die auf dem Weg über die Literatur in unser Bewußtsein gelangten und die dort Symbole für Grundsituationen des Menschen, zu leitmotivischen Archetypen wurden: Romeo und Julia, Pontius Pilatus, Don Juan, die Inconnue de la Seine. Alle Gestalten, die geschichtlichen und die halb-geschichtlichen, sind symbolische Stellenwerte unseres Bewußtseins geworden durch Geschichten, literarische Fiktionen, stereotype Rollen, die sie zu Puppen erstarren ließen («Ich komme aus der Hölle der Literatur», sagt Don Juan). Das Rad der Spieluhr, auf dem sie sich drehen, entspricht einerseits der zyklisch-chronologischen Zeitauffassung, andererseits aber auch der Theorie der historischen Wiederkunft aller archetypischen Verhaltensweisen. Es ist gerade die Angst vor der Wiederholung, das bekannte Tagebuchmotiv, das den «Heutigen» bewegt, sich vor dem Kaiser von China, dem Symbol des ewigen Tyrannen, aufzustellen und vom Sichtpunkt der letzten Entscheidungsmöglichkeit der Menschheit eine Revision der Geschichtsauffassung zu fordern. Was dem Heutigen vorschwebt, ist im Grunde genommen genau identisch mit dem diaristischen Bewußtsein: die klare Trennung zwischen *De-facto*-Wirklichkeit und Fiktion innerhalb der diachronischen Zeitauffassung. Das Stück – und damit auch die Weltgeschichte aus Frischs Sicht – wird jedoch aus dem Unverständnis der Beteiligten den Erklärungen des Heutigen gegenüber zur «verzweifelten Farce», wie es Frisch im Untertitel benennt. «Ort der Handlung», so kündet der Heutige am Anfang des Spiels an, «diese Bühne. Oder man könnte auch sagen: unser Bewußtsein.» Die Verzweiflung des Heutigen stammt daher, daß er einsehen muß, daß jeder Mensch in seinen eigenen Erlebnisraum und seine eigene Erlebniszeit eingekapselt ist[70] und daß die Subjektivität der Zeit, das antihistorische Geschichtsbewußtsein, sich als größtes Hindernis erweist, wenn es darum geht, «aus der Geschichte», oder vielmehr aus den Verhaltensweisen historischer Figuren, etwas zu lernen. Die historischen Figuren, die unser Hirn bevölkern und als Figuren unseres Denkens lebendig bleiben, erscheinen als Symbole für bestimmte Verhaltensweisen, das heißt als abgeschlossene fraglose Bilder, und stehen gerade in ihrer Abgeschlossenheit zwischen uns und der Wahrheit. In ihrer gebrauchsfertigen Schablonenhaftigkeit demonstrieren sie unsere Entfernung von der historischen Wirklichkeit. Wenn der Schauplatz des Stücks unser Bewußtsein ist, wird gerade hier aufgezeigt, wie sehr unser Verhalten gegenüber der Geschichte verfehlt ist: «Die Welt ist nicht an sich scheinhaft: Wir haben uns vielmehr aus ihrer Wirklichkeit in den Schein entfernt, besser: Wir versuchen es, so daß die Grenze zwischen Wirklichkeit und Schein, ständig sich verschiebend, mitten durch uns hindurch geht: die verlassene Wirklichkeit bricht unaufhaltsam in die Kulissenwelt unseres veralteten Verhaltens ein. Die Illusionsdurchbrechungen auf der Bühne signalisieren: wir selbst sind ‹vieux jeu[71]›.»

«Der zweite Sündenfall» des Menschen besteht darin, daß er das Leben nicht als «Inbegriff aller Möglichkeiten» sieht, in der uns die Zeit nicht verändert, sondern nur entfaltet. An Stelle einer echten Konfrontation von Ich und Welt, aus der sich die Wirklichkeit erahnen ließe, übernehmen wir die vorgeformte Fiktionalität von Geschichtsbildern, die unser Bewußtsein determinieren und verfälschen. Aus allen historischen und literarischen Lemuren der *Chinesischen Mauer* ragt nur eine Gestalt hervor, die geheimnisvollste, l'Inconnue de la Seine; ihr ist es gelungen, «abzuschwimmen ohne Geschichte», was der Leiche am Ende des Gantenbein-Romans nicht gelingt. Um alle andern Gestalten herum baut der chinesische Kaiser die aberwitzige Mauer, die die Zeit aufhalten soll, einen steingewordenen Kalender, der unser Geschichtsbewußtsein ein für allemal fixieren soll. Auch die zweite Chance zur sittlichen Entscheidung wird vergeben. Die Farce geht weiter.

3. Das Bild und das wirkliche Leben: *Don Juan* und *Öderland*

Eine der Gestalten der Spieluhr, Don Juan, die Figur aus der Hölle der Literatur, wird von Frisch in seinem Stück *Don Juan oder die Liebe zur Geometrie* neu und, wie wir sehen werden, im diaristischen Sinne gedeutet. Don Juan ist nicht nur eine der literarisiertesten Figuren des westlichen Kulturbewußtseins, er ist geradezu zur Metapher, zur Redefloskel herabgesunken. Frisch macht aus ihm einen Mathematiker, einen modernen Intellektuellen, den bekannten Protagonisten aus seinen Romanen und Stücken verwandt. Wieder finden wir die Problematik der Identitätsfixierung durch eine vorgeworfene Verhaltensweise. Mehr noch als die anderen Intellektuellen Frischs leidet dieser an einer Rollenzuteilung, die sich mit seiner wirklichen Identitätsvorstellung nicht deckt: Don Juan möchte am liebsten Geometrie betreiben. Die Umwelt zwingt ihn, Schürzen zu jagen, um seinem Ruf gerecht zu werden. Er ist ein lebendiger Mythos, dem es auch mit einer bühnentechnischen Haupt- und Staatsaktion nicht gelingt, aus seiner Geschichte auszubrechen, indem er diese vor aller Augen als Schwindel enthüllt. In der *Chinesischen Mauer* wird er als der «Sucher

nach dem Jungfräulichen» gedeutet, darin der anderen Forscher-
gestalt, dem Kolumbus, verwandt. Frisch selber betont in den
Glossen zu Don Juan[72], daß «Ikarus oder Faust ihm verwandt-
ter als Casanova» seien. Ikarus und Faust sind Symbole von
Menschen, die aus ihrer Gebundenheit an die Verhältnisse
ausbrechen wollen. «Don Juan», sagt Frisch, «ist ein Spanier:
ein Anarchist[73]», ein umgekehrter Faust vielleicht, den es von
«Helenen in jedem Weibe» zurückdrängt in die Freiheit der
Gelehrtenstube. Sein Pech ist es, als Symbol der Sinnlichkeit
aufgefaßt zu werden, da er doch eine geistige Figur ist.

Don Juan ist ein Kostümstück. Die Verkleidung, die Maske
spielen stellvertretend die Rolle des Identitätsproblems. Bei
Don Juan besteht nur eine Möglichkeit, die ihm buchstäblich «auf den Leib» geschriebene Rolle abzulegen: die Vergängnis. Don Juan soll der ewig jugendliche Liebhaber bleiben. So verlangt es das öffentliche Bewußtsein. Der Vorhang
fällt mitleidig über einem verheirateten gesetzteren Familien-
vater. Er wird von der Zeit eingeholt, überrollt. Seinen Ruf
verdankte er der Fiktion der Jugendlichkeit. Als Vergängnis
ihn einholt, kann er endlich zu sich selber finden. Seine Liebe
zur Geometrie bezahlt er mit seiner anarchischen Freiheit, die,
als Parallelmetapher zum unvorhersehbaren Einfall der Liebe,
seinen Ruf begründete. Als Liebhaber leidet Don Juan darunter,
nicht festhalten zu können. Er liebt, aber der Gegenstand seiner Liebe wird zum fremden Gesicht, erstarrt zur Maske. Und
während er in seiner rastlosen Suche nach dem Jungfräulich-
Unberührten Maskenbälle durchirrt, Masken abhebt, Schatten
und Profilen nacheilt, erfüllt sich an ihm die Vergängnis.
Das Suchen selber, so fühlt er, nicht der faustische Augenblick des Verweilens in der Erfüllung macht sein Leben aus.
«Sehnsucht ist unser Bestes», ein Wort aus *Jürg Reinhart,* gilt
noch immer für Don Juan. Er hört auf, anarchischer
Mythos zu sein, als sich der Entwurf seines Lebens schließt
in der Ehe. Eine ironische Quadratur des Zirkels scheint
gefunden.

Im *Grafen Öderland* tritt uns ein anderer fleischgewordener
Mythos entgegen, der deshalb unheimlich und erregend wirkt,
weil er vom Dichter Frisch selbst erschaffen, also nicht literarischer Archetyp, ist. Die Genesis der Figur des mordenden

Staatsanwalts ist genau fixierbar. Sie findet im *Tagebuch 1946–1949* statt und ist die Folge einer Zeitungsnotiz, einer Meldung unter der Rubrik «Unglücksfälle und Verbrechen», bei der den Autor offensichtlich nicht die Tat an sich, sondern deren scheinbare Motivlosigkeit, die ihr etwas Unwirklich-Dämonisches verleiht, beschäftigt. Die Eintragung im *Tagebuch* liest sich wie folgt:

Aus der Zeitung

Ein Mann, der als braver und getreuer Kassier schon zwei Drittel seines Daseins erledigt hat, erwacht in der Nacht, weil ein Bedürfnis ihn weckt; auf dem Rückweg erblickt er eine Axt, die aus einer Ecke blinkt, und erschlägt seine ganze Familie, inbegriffen Großeltern und Enkel; einen Grund für seine ungeheuerliche Tat, heißt es, könne der Täter nicht angeben; eine Unterschlagung liegt nicht vor. –
«Vielleicht war er ein Trinker.»
«Vielleicht ...»
«Oder ist es doch eine Unterschlagung, der man erst später einmal auf die Spur kommt.»
«Hoffen wir es ...» (*T.* 70)

An diesem Beispiel sehen wir besonders deutlich den Prozeß der diaristischen Episierung der *De-facto*-Wirklichkeit. Zu Beginn die Tagebuchnotiz: Eine Tat ist geschehen, eines von Dutzenden von den täglichen Verbrechen. Der Durchschnittsleser fliegt über die Notiz hinweg, schüttelt den Kopf ob der Scheußlichkeit des Massenmordes, und schon setzt der Mechanismus der Kausalierung ein: Die Motivfrage muß zu einer befriedigenden Antwort gelangen; ist diese gefunden, so ist die Welt wieder in Ordnung, trotz dem Morde. Der beruhigende Beweis der diskursiven Durchdringungskraft der menschlichen Vernunft ist erbracht. Man ist weiterhin Herr der Situation.

Frischs Frageansatz lautet anders. Nicht das Motiv der Tat ist ihm wichtig, sondern unser Verhalten der Motivlosigkeit gegenüber. Die offen bleibende Frage steht quälend in unserem Bewußtsein, ein dunkler Alptraum, und dieser Alptraum selber nimmt Gestalt an. Mit dem Mythos Öderland, das ist der geniale Einfall Frischs, sucht die offene Frage, «das unversicherte menschliche Wesen», unser Bewußtsein heim. Eine Gefahr der Deutung des Öderland-Stoffes liegt in der scheinbaren Nähe des Motivs bei tiefenpsychologischen Mechanismen. «Öderland in uns selbst» klingt an eine psychologische Studie Max Picards an, die unter dem Titel *Hitler in uns selbst* gerade zur Zeit des *Tagebuchs* Aufsehen erregte[74]. Der Umstand, daß dem Mörder der Zeitungsnotiz bei Frisch ein Staatsanwalt beigegeben wird, der in Nachahmung der Tat zur Hauptfigur wird, betont, daß es dem Autor nicht um eine Studie der seelischen Verhältnisse eines Mörders à la *Schuld und Sühne* geht. Der Staatsanwalt ist das Sinnbild, der Inbegriff und die Garantie der bürgerlichen Ordnung. Wenn ein Staatsanwalt unmotiviert mordet, überschreitet seine Tat den privaten Bereich. Die Frage: «Aus welchen Gründen mordet dieser Mann?» wird überdeckt durch die Frage: «Warum mordet gerade dieser Mann, dessen Mandat dahin lautet, daß er die Gesellschaft vor Morden und Mördern schützen soll?» Die Gesellschaft empfindet die Tat ihres Schützers als Verrat an diesem Mandat. Plötzlich ist sie selber schutzlos, unversichert. Das Unheimliche steht draußen mit der Axt in der Hand, und weil niemand da ist, den rationalen Schutz dagegen zu übernehmen, dringt es ins ungeschützte Bewußtsein ein. Das ungeschützte Bewußtsein aber sieht sich mit einemmal der Wirklichkeit ausgesetzt. Es ist eine Wirklichkeit, die mit Worten nicht einzufangen ist, für die die Axt des Staatsanwaltes nur Symbol darstellt, das Symbol des Ausbrechens aus einem Bewußtsein, das – es sei an das Geschichtsbewußtsein in der *Chinesischen Mauer* erinnert – den Menschen zum Gefangenen einer vorgenormten Welt macht. Diejenigen, die dieses Bewußtsein erlangen, folgen Graf Öderland nach. Es bildet sich ein Geheimbund mit dem Abzeichen der Axt unter dem Aufschlag. Und damit ist Öderlands großer Aufbruch bereits gescheitert. Er wird zum Führer, zum Ideologen einer Verheißung und schafft damit eine neue Ordnung an der Stelle der von ihm verlassenen. Was er erreicht, ist Austausch der Gefängnisse. Der große Aufbruch und Ausbruch bleibt bedeutungslos. Aus anarchischem Freiheitsgefühl wird Anarchismus als Weltanschauung, als paradoxe Ordnung. Die Insel Santorin, das Traumland seiner Kindheit, das er erreichen will (in *Santa Cruz* war es Hawaii, in *Bin* ist es Peking), zerrinnt in nichts. Das gelobte Land darf nur erahnt, niemals aber erreicht werden. Verheißung, nicht Erfüllung begründet Wahrhaftigkeit.

Öderland meint, seinen Weg anarchisch, ohne transzendenten Halt gehen zu können. Seine Neuordnung beweist, daß er die Freiheit der Ungewißheit nicht aushalten kann. Das Schiff «Esperanza», mit dem er träumend auszog, um die Kontinente seiner Seele zu suchen im Abenteuer der Wahrhaftigkeit, ist zum Spielzeug zusammengeschrumpft: «... man kann es in beide Hände nehmen, mein Schiff, wo ich Kapitän drauf war, man kann es auf eine Truhe stellen ... Und ein Dienstmädchen staubt es ab, Tag für Tag.» (Stücke I 325) Graf Öderland erreicht nichts, kann niemals etwas erreichen, weil er der Teil unseres Bewußtseins ist, der sich nicht in Tat materialisieren läßt. Er ist Traum: «Man hat mich geträumt.»

Wir erinnern uns an Frischs Formulierung aus dem Tagebuch: «Unser Bewußtsein, als das brechende Prisma, das unser Leben in ein Nacheinander zerlegt, und der Traum als die andere Linse, die es wieder in sein Urganzes sammelt; der Traum und die Dichtung, die ihm in diesem Sinne nachzukommen sucht.» (T. 23) Im Öderland hat Frisch vor unseren Augen demonstriert, wie einem Alptraum mit Dichtung beizukommen ist. In diaristischer Weise ergibt sich ein Stück ohne Lehre, ein Spiel, in diesem Falle ein Traumspiel jener dunklen Untergründe unseres Bewußtseins, deren wir uns nur im Traum bewußt werden. «Was geschieht, wenn ein Traum Wirklichkeit wird?» so scheint Frischs Frage zu lauten. «Dann können wir davon in den Zeitungen lesen», lautet die Antwort, und plötzlich erkennen wir, daß die Grenzen unseres Bewußtseins, die wir scharf und sicher gezogen wähnten, zerfließen, daß es kein Aufwachen aus dem Alptraum gibt, daß dieser in unser waches tägliches Leben hereingreift, Gestalt wird, Allgegenwart des Möglichen.

Bezeichnenderweise tritt im Stück die Gestalt des Hellsehers auf, die von Frisch im Tagebuch im gleichen Kapitel, in dem er die Betrachtungen über den Sinn eines Tagebuchs anstellt, erwähnt wird. Die Begabung des Hellsehers besteht darin, daß er ein Bild sieht, aber nicht den Ort und die Zeit, nicht das Nacheinander, nicht Geschichte, sondern Sein. «... offenbar müssen auch jene, damit sie aus dem Urganzen heraus sehen können, das Bewußtsein ausschalten, das unser Sein immer in Ort und Zeit zerlegt; sie brauchen die Trance.»

(*T.* 24) Öderland selber ist ein Traumprodukt, eine Funktion der Trance, eine geträumte Wirklichkeit als Möglichkeit, ein Mythos aus dunkler Vorzeit, eine Sage, die nicht Geschichte ist, sondern ein Bild unseres Seins. «... das helle Bewußtsein [...] zerlegt, und darum nennen wir die Vorzeit dunkel. Im Gegensatz zu unserer eigenen Zeit, die wir finster nennen.» (*T.* 25) Das diaristische Bewußtsein als Versuch, die verschiedenen Elemente der Wirklichkeitsfindung aufzuzeigen, einander gegenüberzustellen, gegeneinander abzuwägen, dieses Spiel mit den Spiegelungen verwirklicht sich im *Grafen Öderland* in virtuoser Weise. Tagebuchkunst, so haben wir gesehen, besteht in einer bestimmten Art des Sichtbarmachens. Seine Aufforderung an den Leser liegt in einer neuen Art des Sehens, einer Betrachtungsweise, die die Wahrhaftigkeit zum Ausgangspunkt hat und die Relativität unseres Standpunkts im Auge behält. Der *Graf Öderland* bildet die mythische Parabel einer anarchischen Betrachtungsweise, deren Wirklichkeit zwischen Traum und Wachen zur Erfahrung wird: «Wir sind die Leute, die ins Helle blicken; für alles, was neben dieser Helle unseres Bewußtseins ist, sind wir blind. So straucheln wir immerfort. Es fehlt uns die Hellsicht. Zur Not, oder eher zum Spaß, finden wir sie schon im Kabarett, wo sie allabendlich die Menschen erregt, obschon keiner daran glauben will, keine Packerin, kein Rechtsanwalt; sie sitzen ihrer einen Seele wie einem Hokuspokus gegenüber, und wenn sie herauskommen, kaufen sie das Morgenblatt, lesen das Ergebnis und wundern sich, woher es kommt ...» (*T.* 25)

Friedrich Dürrenmatt hat in einer berühmten Rezension[75] die erste Version des *Grafen Öderland* – 1951 aufgeführt – als gescheitert bezeichnet. Fast gleichzeitig erschien sein eigenes Stück *Die Ehe des Herrn Mississippi,* das, von einigen erstaunlichen äußeren Parallelen abgesehen, besonders deutlich veranschaulicht, wie sehr Dürrenmatt den Denkansatz Frischs mißverstanden hat. Es demonstriert im übrigen gerade im durchwegs verschiedenen Einsatz äußerlich ähnlicher Bühnengestalten – dem Frischschen Grafen Öderland steht, in einer gleichsam grotesken Namenssteigerung, der Dürrenmattsche Bühnenadelige Überlohe gegenüber – die Fragwürdigkeit der immer noch grassierenden Mode, die beiden prominentesten

Schweizer Schriftsteller aus der zufälligen Parallelität von Nationalität, Zeitgenossenschaft und Ruhmeskurve in einem Atemzug zu nennen. Gerade beim Vergleich der beiden Staatsanwälte und ihrer Funktionen im Stück schälen sich zwei so grundsätzlich verschiedene Denkarten der beiden Bühnendichter heraus, daß jeder weitere Versuch, die beiden – dialektisch etwa – in eine geistige Verbindung zueinander bringen zu wollen, als wenig sinnvoll bezeichnet werden muß. Frisch selber erklärt die beiden Ansätze der Sinngebung für die beiden Staatsanwälte: «Wir kamen beide auf ganz anderen Wegen auf diesen Staatsanwalt. Bei mir ist es ganz eindeutig der Repräsentant einer gesellschaftlichen Ordnung, in diesem Fall der bürgerlichen Ordnung. Bei ihm wiederum [erscheint] der Staatsanwalt als etwas vollkommen anderes. Da haben wir einen ganz schönen Unterschied: Der Staatsanwalt als der Vertreter der menschlichen Gerechtigkeit, im Gegensatz zur absurden göttlichen Gerechtigkeit. Bei ihm ist der Staatsanwalt der, der ja mordet, weil menschliche Gerechtigkeit nach seinem religiösen Hintergrund nicht möglich, sinnlos, sogar mörderisch ist. Dieser Berührungspunkt auf der Berufsgleichheit Staatsanwalt besteht und zeigt eigentlich zwei vollkommen verschiedene Denkwelten.» (I. 6)

Dürrenmatt ist für Frisch «ein Theologe und bleibt einer [...] Für ihn gibt es, sosehr er es auch leugnet, eine Gottesinstanz, die absurd waltet. Das gibt's für mich nicht.» (I. M) Es ist aus dieser Perspektive verständlich, daß Dürrenmatt Frischs Öderland weltanschaulich prüfen und verwerfen muß. Für ihn, den Verfasser des gespenstischen Staatsanwaltes Mississippi, der eine Giftmörderin heiratet, um sich selber für seine Morde grotesk zu strafen, muß der axtschwingende Öderland als abgestiegener Reiter der Apokalypse erscheinen, als «gefallener Engel», dessen Tat «nicht ein Ausweg» ist, «sondern Verzweiflung». Dürrenmatts Vorwurf lautet dahin, daß Öderlands Schicksal privat nicht zwingend sei, «denn sein Ende ist eine Hoffnung, daß etwas, das an sich schon verzweifelt ist, noch einmal verzweifelt (für den Zuschauer die Hoffnung, daß wir doch wieder einmal davonkommen[76]).»

Vom Tagebuch her haben wir gesehen, daß Frischs Denkansatz gerade bei der Frage der Verbindlichkeit des Einzel-

erlebnisses für die Allgemeinheit zu suchen ist: Die einzige
Realität, die auf der Bühne geschieht, ist, daß auf der Bühne
gespielt wird. Frischs Anliegen an den Zuschauer ist – ganz
anders als bei Dürrenmatt, der die Bühne nach wie vor als
Plattform für weltanschauliche Botschaften sieht –, daß dieser
lernen soll, Fiktionalität von erlebter Wirklichkeit zu schei-
den, die Fiktionalität in sein Bewußtsein einzubauen, derge-
stalt, daß er zu eigener Fragestellung gelangt. So sind denn alle
Partnergestalten Frischs Demonstrationsobjekte für Bewußtseinslagen, und ihre Geglücktheit steht in direktem Verhältnis
zu der Kraft ihrer Ausstrahlung auf unser Bewußtsein. Frischs
Spiel ist ebensowenig privat wie sein Tagebuch. Es ist vielmehr ein Spiel, das im Nachvollziehen von persönlichen un-
ausgesprochenen Bewußtseinslagen die Partnerschaft der
Öffentlichkeit in verbindlicherer Weise sucht als durch öffentliche Appelle. Im Zeitalter des Versagens von Ideologien und
Moraltheologien, aus ihrer Unfähigkeit, die Öffentlichkeit
ex cathedra zu erreichen, wendet sich Frisch an eben jenen
Zweifel, der vor der Botschaft das Ohr verschließt, und preist
ihn als wirksamste Waffe des einzelnen, der die lebendige
Frage offen lassen will. *Graf Öderland* ist nicht Verheißung
eines Absoluten im Sinne Dürrenmatts. Er bleibt offene Frage,
muß es bleiben, ein Rätsel, dunkel und vielgestaltig wie das
Leben selbst: «Alles Vollendete hört auf, Behausung unseres
Geistes zu sein.» Und unter diesen Auspizien gerät Dürrenmatts Tadel, das abenteuerliche Schiff Öderland bleibe irgendwo in den dramatischen Meeren zwischen dem Allgemeinen
und dem Privaten stecken, zum unbeabsichtigten Lob.

4. Die Parabel:
Andorra und *Biedermann und die Brandstifter*

Die beiden Stücke *Andorra* und *Biedermann und die Brandstifter* sind ebenfalls *Tagebuch*-Stoffe. Andorra erscheint als Name
bereits in der Marion-Skizze. Wenig später finden wir das
Erzählfragment *Der andorranische Jude*. (*T.* 35) Der Einleitungs-
satz meldet im traditionellen Erzählton: «In Andorra lebte ein

junger Mann, den man für einen Juden hielt.» In diesem Satz ist bereits die ganze Idee enthalten, darum fährt der Autor auch folgendermaßen weiter: «Zu erzählen wäre ...» Von der Tagebuchtheorie ausgehend, finden wir hier einmal mehr eine Erfahrung, die sich ihren Anlaß erfindet, einen Sinninhalt, der sich Geschichten anpassen muß, Fiktion werden muß, um die Grundidee – Intoleranz aus Bildnisbefangenheit – zu beleuchten. An die Erzählskizze unmittelbar anschließend, folgen die berühmten Worte, die von verschiedenen Kritikern – in offensichtlicher Verwechslung von Anlaß und Motiv – zu einer Grundphilosophie von Frischs künstlerischem Schaffen erklärt worden sind: «Du sollst dir kein Bildnis machen, heißt es, von Gott. Es dürfte auch in diesem Sinne gelten: Gott als das Lebendige in jedem Menschen, das, was nicht erfaßbar ist. Es ist eine Versündigung, die wir, so wie sie an uns begangen wird, fast ohne Unterlaß wieder begehen –

Ausgenommen wenn wir lieben.» (*T.* 37)

Es ist nicht nur der untheologischen Paraphrasierung des Zweiten Gebotes zuzuschreiben, daß Frisch mit seinem Stück *Andorra* auf die größten und zum Teil groteskesten Mißverständnisse aufprallte. Einmal mehr – wie schon im Falle *Öderland* – erwies es sich, daß Frischs Parabeln von einer solchen Wirklichkeitsdichte sind, daß es dem Publikum Mühe macht, zu dem lockeren Spielbewußtsein zu gelangen, das für das Verständnis von Frischs Fragestellung und damit der Fragestellung der Öffentlichkeit im allgemeinen erforderlich ist. Gerade beim Stück *Andorra,* dessen Thema das Fehlverhalten unseres Bewußtseins gegenüber der Begriffssuggestion eingeprägter Bildnisse ist, weicht durch die äußerst einprägsame Bildhaftigkeit seiner Parabel und die unvermeidlichen historischen Parallelen einer naheliegenden, photographierten und reich dokumentierten Vergangenheit die Aufmerksamkeit des Zuschauers vom eigentlichen Anliegen des Schriftstellers ab und wendet sich der rein privaten Seite der Geschichte zu. Es erweist sich, daß in diesem Falle die historische Wirklichkeit als traumatisches Bewußtsein eines unfaßbaren Geschehens über den Frageansatz des Autors dominiert. Die Frage der Intoleranz, Frischs Anliegen, wird angesichts der immer noch ungelösten Frage nach der Ungeschütztheit des Menschen angesichts des ungeheuren historischen Verbrechens entwertet, auf den zweiten Platz verwiesen. Pointiert ausgedrückt, ließe sich sagen, daß die Frage in *Andorra* vom Publikum her mit der Gegenfrage aus *Graf Öderland* beantwortet wird. Frisch selber hat die Kontroverse um sein Stück später vor allem von der Ambivalenz der Parabel auf dem Theater her gedeutet. Die Aufführungen von *Andorra* in Südamerika nämlich, wo Antisemitismus als soziales Problem der Tradition und der Gegenwart kaum besteht, erwiesen, daß die Mißverständnisse um das Stück in Europa und in den Vereinigten Staaten vor allem darauf zurückzuführen waren, daß die Parabel ihre Untauglichkeit als Demonstrationsmittel einer Fragestellung erwies. In Lateinamerika wurde Andri, der Sündenbock, zum Politikum ersten Ranges, zum Symbol für die unterdrückte Linke in Militärdiktaturen. Dieses Mißverständnis führte gerade diejenigen Motive *ad absurdum,* um derentwillen Frisch die Parabel als Demonstrationselement gewählt hatte: das Bedürfnis, vom naturalistischen «Imitiertheater» wegzukommen und zum «Bewußtseinstheater» zu gelangen. Auf der Bühne, so erwies es sich, wird jede Parabel zu einem Stück Wirklichkeit für den Zuschauer, oft zu falsch verstandener Wirklichkeit und – im schlimmsten Falle – zur Wirklichkeit, die dem Anliegen des verzweifelten Autors diametral entgegensteht. Die Bühne hat ein unheimliches Eigenleben. Ihre illusionistische Kraft – das mußte letztlich auch Brecht erfahren – ist so stark, daß sie selbst die raffiniertesten verfremdenden Techniken zu überspielen vermag. Der Illusionismus der Bühne aber liegt nicht einfach im kulinarischen Bedürfnis des Theaterbesuchers mit dem falschen Bewußtsein begründet. Er entsteht vielmehr immer wieder und paradoxerweise gerade im «kunstlosen» Theater der Gegenwart, solange lebende Menschen auf der Bühne stehen. Die illusionistische Identifikation im Theater, so erweist es sich, erfolgt weniger mit der Handlung und dem Bühnenschicksal als mit der im allgemein Menschlichen beschlossenen Verhaltensähnlichkeit des spielenden Menschen mit dem eigenen[77]. Im *Tagebuch 1946–1949* findet sich die Skizze *Über Marionetten,* die wir schon kurz erwähnten. Darin steht die Frage, warum es den Puppen immer gelinge, außermenschliche Wesen überzeugend darzustellen. Die Antwort: «Auf der großen Bühne, meine ich, können wir den Erdgeist nicht glauben, weil er gegenüber dem Menschen nicht aufkommt: weil der Mensch, der ihm gegenübertritt, wirklich ein Mensch ist, eine Natur aus Fleisch und Blut. Das andere dagegen, der Erdgeist, bleibt ein Bild, ein Zeichen.» (T. 154) Das gleiche ließe sich von der Parabel sagen, die, ebenfalls als Bild und Zeichen gemeint, vor der körperlichen Gegenwart des spielenden Menschen auf der Bühne vage wird. Die Niederlage der Bühnenparabel bedeutet den Triumph des spielerisch gestaltenden Menschen. Der schöpferische Rollenträger vermag im Spiel mit der Parabel das dichterische Anliegen abzudrängen: Der Botschaftsträger selber, das Medium, wird zur Botschaft. Dazu kommt, im Falle *Andorra,* die Parabel «Andorra» selber. Auch wenn Frisch beteuert, er habe den Namen willkürlich gewählt und dieser habe mit dem Kleinstaat gleichen Namens nichts gemeinsam, so muß eben doch betont werden, daß zumindest für ein Schweizer Publikum eine Identifikation mit dem eigenen Land auf der Hand liegt. Jedenfalls ist in der Schweiz «Andorra» nie anders als ein Modell der eigenen Verhältnisse verstanden worden, als ergänzendes Gegenstück zu Dürrenmatts «Güllen» etwa, wenn auch die Funktionen der beiden Modelle, wie Karl Schmid betont[78], dem Denkansatz der beiden Dichter entsprechend verschieden sind. Die Identifizierung von Andorra mit der Schweiz ist die Folge derselben Schwäche, der wir schon bei dem Thema «Vorurteil» begegnet sind: Obwohl eine Grundsatzfrage angepeilt wird, gelingt es dem Autor in diesem Falle nicht, das Interesse des Zuschauers über das Anschauungsmodell hinaus zu befördern. Gerade weil das Schicksal des andorranischen Juden in dieser Form in der Schweiz historisch nicht erfolgt ist, bleibt der Zuschauer mit der Frage beschäftigt: Hätten wir uns im Ernstfalle so wie die Andorraner benommen? Die Antwort – wie immer sie ausfallen mag – läßt sich mit Argumenten belegen, die allesamt aus der Nähe von Bühnenmodell und Wirklichkeit entstehen. Damit scheint man den Fall «Andorra» historisch erledigen zu können. Die Frage des Bildnisses, das man vorurteilend von seinem Mitmenschen faßt, wird damit paradoxerweise durch die Suggestionskraft des Modellbildnisses der Andorra-Parabel überdeckt. Gerade weil das Theater durch die vitale Präsenz eines Beispiels viel stärker suggeriert, zur augenblicklichen Entscheidung herausfordert, wo das geschriebene Wort zum Verharren und Nachdenken einlädt, ist in *Andorra* das diaristische Anliegen Frischs, die Tatsache der Fiktionalität ins Bewußtsein des Publikums einzubauen, nicht gelungen. Was bleibt, ist die Art von Spiel, die Frischs Ruf als «Moralisten ohne Moral» begründet hat, ein Spiel, das den Intentionen seines Autors entwunden, von einem ahnungslosen Publikum weitergeführt und in dessen Sinne interpretiert wird.

Vom Historisch-Unverbindlichen der *Chinesischen Mauer* und dem Kostümtheater *Don Juan* führt der Weg über das allzu historisch verbindliche Modell *Andorra* zur *Biografie,* dem bisher letzten Stück Frischs. Der Weg ist symptomatisch: Von der Revue, dem Theater-Theater, über das parabolische Modell, das Lehr-Theater, zur Probe auf dem Theater, zum reinen Spiel-Theater. Diese Entwicklung geht der Entwicklung der drei großen Romane *Stiller, Homo faber* und *Mein Name sei Gantenbein* genau parallel und läßt das Bemühen des Schriftstellers erkennen, sich mit den im *Tagebuch* gewonnenen Erkenntnissen vom Verhältnis von Fiktionalität und diskursiv erfaßbarer Wirklichkeit künstlerisch auseinanderzusetzen. Es ist kein Zufall, daß Frisch dies in der erzählenden Prosa, die auch äußerlich dem Tagebuch näher steht, leichter gelingt als auf dem Theater, wo das Spielhafte der Vorlage immer wieder von der Illusionskraft der Bühne eingeholt wird. Auf dem Theater will in erster Linie «unsere Gier nach Geschichten» befriedigt werden, und der großartige Geschichtenerzähler Frisch fällt eben dieser Sucht der Zuschauer zum Opfer, die sich schon an der Parabelgeschichte befriedigen, die Ausgangspunkt, nicht Endzweck sein soll. «Ich glaube, wir erzählen nie, wie es gewesen ist, sondern wie wir uns vorstellen, daß es wäre, wenn wir es nochmals erleben sollten[79].» Diese Zusammenhänge werden zumal in der parabolischen Darstellung nicht klar. Die Geschichte von Andri wird Wirklichkeit, Bühnenwirklichkeit, in dem Augenblicke, da sie auf der Bühne gespielt wird. Das liegt nicht an der Verfremdung oder am Mangel derselben, das liegt an der Bühne selber.

Frisch erläutert dies im *Tagebuch 1946–1949* am Beispiel von Hamlet mit dem Schädel des Yorick:

Wenn diese Szene erzählt wird, muß man sich beides vorstellen, beides imaginieren, den Schädel in der lebenden Hand und die Späße des vergangenen Yorick, an die sich Hamlet erinnert. Die Erzählung, im Gegensatz zum Theater, beruht ganz und gar auf der Sprache, und alles, was der Erzähler zu geben hat, erreicht mich auf der gleichen Ebene, nämlich als Imagination. Wesentlich anders wirkt das Theater: Der Schädel, der nur noch ein Ding ist, das Grab, der Spaten, all dies habe ich bereits durch sinnliche Wahrnehmung, unwillkürlich, vordergründig, unausweichlich in jedem Augenblick, während meine Imagination, ganz aufgespart für die Worte des Hamlet, nur noch das entschwundene Leben aufzurufen hat und dies um so deutlicher vermag, als ich sie für anderes nicht brauche. Das Entschwundene und das Vorhandene, das Einst und das Jetzt: verteilt auf Imagination und auf Wahrnehmung ... Der theatralische Dichter bespielt mich also auf zwei Antennen, und es ist evident, daß das eine, ein Schädel, und das andere, die Späße eines Spaßmachers, für sich allein wenig bedeuten; die ganze Aussage dieser Szene, alles, was uns daran bewegt, liegt im Bezug dieser beiden Bilder zueinander, nur darin. (*T.* 260)

Imagination und Wahrnehmung: Im Falle *Andorra* ist die Imagination des Wortes am Sinnlich-Wahrnehmbaren des Theaters gescheitert. Es hat sich erwiesen, daß die Illusion des Theaters auch in der Zeit stattfindet und daß das Zeitgeschehen, wenn es stark genug im Bewußtsein des Publikums verankert ist, der Suggestionskraft eines Stückes eine andere Richtung zu geben vermag als die von dem Stückeschreiber gewünschte. Das trifft in ganz besonderem Maße auch für *Herrn Biedermann und die Brandstifter* zu, das vor *Andorra* (1958) entstandene Stück, dessen Handlung derart gradlinig und ohne Winkelzüge auf das unvermeidliche Ende zusteuert, daß dem Publikum die «Moral von der Geschichte» geradezu an den Kopf geworfen wird. Worin diese Moral hingegen bestehen soll, bleibt offen, oder vielmehr dem Ermessen des jeweiligen Publikums überlassen. Daß Moral an sich nicht angestrebt wird, zeigt der Untertitel «ein Lehrstück ohne Lehre», in dem sich bereits Frischs Unbehagen an der Parabel spiegelt. Die kräftige Bühnenwirksamkeit von Gottfried Biedermann, dem Ringer Schmitz und dem Kellner Kesselring macht das Stück – zusammen mit der leicht erfaßbaren Handlung – zu einer Moritat, deren holzschnittartige Einfachheit zum Teil aus der stoffartigen Vorlage stammt: Im *Tagebuch 1946–1949* findet sich die Skizze zu einem Film, der, unter dem Titel *Der Harlekin,* nicht von der Handlung, wohl aber von den Gestalten her dem *Biedermann*-Stück deutlich zur Vorlage diente. Die Handlung dagegen findet sich in der Skizze *Burleske,* ebenfalls im *Tagebuch,* einer Geschichte, die von zwei anonymen Brandstiftern berichtet, die in «Dein» Haus eindringen. Das «Du» der Geschichte wird später zu Gottlieb Biedermann, die beiden Brandstifter zum Ringer Schmitz und zu Kesselring, bei dem sich der ursprüngliche Kellner aus dem *Harlekin* mit dem diabolischen Harlekin verbindet.

Herr Biedermann und die Brandstifter, die Komödie, die Frischs Weltruhm begründete, ist ein szenischer Wurf, ein ungeheuer einprägsames Lehrstück, dessen Parabel einem unwillkürlich das Gefühl vermittelt, sie immer schon mit sich herumgetragen zu haben, archetypisch, grundsätzlich. Das Bewußtsein, der Instinkt, der in diesem Gefühl sich angesprochen fühlt, liegt auf der politischen Ebene und hat, wie im Falle von *Andorra,* etwas mit unserem Verständnis der jüngsten historischen Vergangenheit zu tun. Das konkrete Problem, das angetönt scheint, läßt sich im Stichwort «Appeasement» fassen, einem Begriff, der aus einem politischen Fehlverhalten der Versailler Mächte dem aufhaltsamen Aufstieg Adolf Hitlers gegenüber in der Rückschau zu einer politischen Doktrin geführt hat, die sich im kalten Krieg bis hin zur Vietnam-Katastrophe als bürgerliches Credo in bezug auf die weltweiten Machtmechanismen einprägte. Was nützt hier der Untertitel *Lehrstück ohne Lehre?* Die Parabel erscheint ebenso durchsichtig und zeitbezogen wie Brechts Gangsterfarce vom *Aufhaltsamen Aufstieg des Herrn Arthuro Ui.* Man kann es einem deutschen Kritiker kaum verargen, wenn er angesichts der zynischen Worte des Kellners Kesselring, der Biedermann aufklärt: «... die beste und sicherste Tarnung [...] ist immer noch die blanke Wahrheit. Die glaubt niemand!», sich spontan an die praktisch identischen Zeilen aus *Mein Kampf* erinnert und in der Geschichte von Herrn Biedermann «eine Parabel» sieht, «in der die Machtergreifung Hitlers treffend eingefangen ist[80]». Friedrich Luft erkennt denn auch die «vielfache Anwendbarkeit» des Stücks: «Man kann die Moral dieses Lehrstücks ohne Lehre auf die jüngste Vergangenheit anlegen. Man kann bedeuten: wir wußten ja, daß Hitler Krieg, Vorherrschaft, Brand und Ausrottung meinte. Er hat's deutlich genug gesagt. Trotzdem hat man's nicht recht geglaubt: Biedermann als Mitläufer. Oder man kann (und soll wohl) an die Brandstifter denken, die mit dem neuen großen Feuer, mit der Teufelsbombe, kokeln. Wir dulden es. Wir sehen es mit an und finden viele Gründe, es zu tun. Aber die Lunte ist gelegt. Wehe! Oder man kann an die demokratische Duldsamkeit denken, mit der extreme Brandstifter biedermännisch von uns ausgehalten werden, ganz rechts und ganz links. Die Luntenleger des Umsturzes sitzen an unseren Tischen, kaum verdächtig. Aus Gründen der öffentlichen Gemütlichkeit schieben wir die Regungen einer besseren Einsicht einfach weg: Ist ja nicht so schlimm[81]...» Wenn Hellmuth Karasek gerade bei der Vielzahl der Auslegungsmöglichkeiten für den *Biedermann* den Vorteil eines «umfassenden» Modells erblicken will, «das in dem unheilvollen Zusammentreffen und -gehen von Spießern und Gangstern eine Gefährdung modernen Staatswesens eingefangen hat[82]», so deutet er damit die Schwäche und nicht den Vorzug des Stückes an, eine Schwäche, die wie bei *Andorra* in der Ambivalenz der Parabel selber liegt. Frisch sagt über seine Erfahrung mit der Parabel:

Es ist wahr, daß ich seit einiger Zeit Mühe habe mit dem Theater, zunächst einmal mit meinem Theater, aber eigentlich auch mit dem Theater als solchem [...] Was mich selber betrifft, so war es für mich nicht mehr möglich nach den Parabelstücken wie den *Brandstiftern* und *Andorra*. Es hat mich die Parabel nicht mehr befriedigt. (Ich bin zur Parabel gekommen nicht nur, weil Brecht sie gemacht hat [...] sondern weil die Parabel eine Möglichkeit ist, dem Theater der Imitation zu entgehen, da das Theater der Imitation für mich [...] ein vollständiger Irrtum ist) [...] Bei der Parabel ist es ja so, daß ein Modell vorgeführt wird, das nicht vorgibt, eine Geschichte zu sein, die passiert ist [...] Die Verbindung zur Realität ist nur die, daß die Parabel einen Sinn entwickelt, der auf die Realität anwendbar ist, und dadurch hat die Parabel immer unweigerlich eine Tendenz zum Didaktischen, sie endet in einem Sinn, wird dadurch zum Lehrstück, und nun passiert es, daß man durch die Form selbst, die Parabelform, zu einer didaktischen Haltung kommt, das heißt zu einer «message», zu einer Lehraussage, die man, wie ich dann feststellte, unter Umständen gar nicht meint, oder die mich nicht interessiert. Dieser Zweifel an meinem Lehrbedürfnis auf dem Theater äußerte sich damals im immer schwerverständlich gebliebenen Untertitel «Ein Lehrstück ohne Lehre» [...] die Fragwürdigkeit der Parabel: [...] daß sie immer nach allen Seiten anwendbar ist. Das geht mir mit dem *Biedermann* auch so: Ist das damit gemeint oder jenes? Ja, nein. Und so weiter. Daß man sagt, warum sagen Sie denn nicht, was gemeint ist, die Bourgeoisie und der Faschismus? Dann müßte es historisch begründet sein. Nun, es kann gemeint sein, muß nicht gemeint sein: Die Parabel hat etwas Vages. (*I.* 1)

Das Mißlingen der Parabelexperimente auf dem Theater deutet auf eine Schwierigkeit beim Schreiben von Parabeln hin, die Brecht nicht gekannt hat und deren Hervortreten bei Frisch wiederum auf den diaristischen Ausgangspunkt seiner künstlerischen Bewußtseinslage hinweist: Die Parabel ist ein ideologisches Kampfmittel, dessen potentielle Vieldeutigkeit nur bei der eindeutigen weltanschaulichen Ausgangsposition des Autors gebändigt und auf ein eindeutig utopisch-ideologisches Ziel hin gebündelt wird. Bekanntlich fehlt gerade diese Voraussetzung dem Diaristen Frisch völlig. Sein dramaturgischer Fehler besteht darin, eine Darstellungstechnik angewendet zu haben, die die bildliche Suggestivkraft des Theaters potenziert: Ironischerweise bedeutet die Anwendung der Parabel auf dem Theater in hohem Maße, «sich ein Bildnis machen». Die Grundsatzfrage, die am Ende offen bleibt und vom Zuschauer «mit dem Beispiel des eigenen Lebens» beantwortet werden sollte, findet eine voreilige Antwort bereits im parabolischen Einzelschicksal eines Andri oder eines Biedermann. *Andorra* nähert sich der Schicksalstragödie, *Herr Biedermann und die Brandstifter* (besonders mit dem Nachspiel) der kabarettistischen Farce. Beide Stücke sind sehr theatergerecht und so erfolgreich, daß der Beifall die Klage des Autors übertönt: So hat er es nicht gewollt. Das «Jedermann-Biedermann»-Wortspiel in den *Brandstiftern* sowie der Feuerwehrchor unterstreichen noch das Parodistische. Parodiert werden soll indessen nicht die literarische Tradition des Welttheaters und der antiken Tragödie – dazu wäre der Aufwand zu groß, auch läge die Parodie um der Parodie willen weit unter Frischs künstlerischem Niveau –, sondern ein Element dieser Tradition, das sich tückisch im Bewußtsein des bürgerlichen Theaterbesuchers festgesetzt hat und dem Frisch den Kampf ansagt: der «Dramaturgie der Fügung». (Siehe Zitat Seite 94) Wir erinnern uns an Frischs

Tagebuchtheorie, daß jede Geschichte, einmal erzählt, den Anschein des Unbedingten, des Schicksalhaften annehme. Das Geschehene nimmt einen Sinn an, den es nicht hat, nämlich daß es auf diese und keine andere Weise habe geschehen müssen. Die Folge ist ein Zwang zur Metaphysik, ein falscher Glaube, der scheinbar durch die diskursive Erfahrungskette gestützt werden kann. Den Schlüssel zum eigentlichen Anliegen des Schriftstellers bieten in *Biedermann und die Brandstifter* die Worte des Feuerwehrchors, denen, vielleicht gerade wegen der parodistisch-leichtgeschürzten Formulierungen, von der Kritik zu wenig Bedeutung beigemessen wurde:

> Feuergefährlich ist viel,
> Aber nicht alles, was feuert, ist Schicksal
> Unabwendbares.
> Anderes nämlich, Schicksal genannt,
> Daß du nicht fragest, wie's kommt,
> [...]
> Ist Unfug,
> Menschlicher,
> Allzumenschlicher.
> [...]
> Wahrlich:
> Nimmer verdient es der Gott,
> Nimmer der Mensch,
> Denn der, achtet er Menschliches so,
> Nimmer verdient er den Namen
> [...]
> Nimmer verdient,
> Schicksal zu heißen, bloß weil er geschehen:
> Der Blödsinn,
> Der nimmerzulöschende einst! (*Stücke* 473)

Wir verstehen die Funktion des aristotelischen Aufbaus des Stückes: Frisch hat bewußt eine antike Tragödie nachvollzogen, um deren Ideologie, die sich auf das unabwendbare Gesetz der Moira beruft, mit den eigenen Mitteln zu schlagen. Der Feuerwehrchor vertritt dieselbe warnende Funktion wie der antike Chor. Auch er ist dazu verdammt, Zuschauer zu sein und – wider besseres Wissen – nicht in die Geschehnisse eingreifen zu können. Auch der Dialog zwischen Protagonist und Chorführer entspricht durchaus antikem Muster. Doch hier, nach diesen Äußerlichkeiten, hören alle Parallelen auf. Denn im Gegensatz zum antiken Chor warnen die Feuerwehrleute nicht vor dem unvermeidlichen Ende, sondern vor den vermeidbaren Anfängen, deren Vermeidbarkeit gerade durch die Durchschaubarkeit der Zusammenhänge und durch die Negierung einer Schicksals- oder Fügungsinstanz möglich erscheint. Frischs «Anti-Schicksalskomödie» ist ein aufklärerisches Stück und politisch im weitesten Sinne des Wortes. Angesprochen wird das denkende Individuum der aufgeklärte Zeitgenosse, dem von den staatlichen Instanzen ein schicksalhaftes Geschichtsbild zugemutet wird, um ihn an der Kandare zu halten:

> Klug ist und Herr über manche Gefahr,
> Wenn er bedenkt, was er sieht,
> Der Mensch.
> Aufmerkenden Geistes vernimmt er
> Zeichen des Unheils
> Zeitig genug, wenn er will.
> [...]
> Der, um zu wissen, was droht,
> Zeitungen liest
> Täglich zum Frühstück entrüstet
> Über ein fernes Ereignis,
> Täglich beliefert mit Deutung,
> Die ihm das eigene Sinnen erspart,
> Täglich erfahrend, was gestern geschah,
> Schwerlich durchschaut er, was eben geschieht
> Unter dem eigenen Dach: –
> Unveröffentlichtes!
> Offenkundiges!
> Hanebüchenes!
> Tatsächliches!
> Ungern durchschaut er's, denn sonst –
> (*Stücke* 503/04)

Hier bricht der Chorführer ab. Der Satz sollte vom Zuschauer fertiggedacht werden. Er leitet eindeutig hinweg von allem schicksalsbegründeten Determinismus. Das Engagement, das vom denkenden Menschen gefordert wird, ist der in der Büchner-Rede festgehaltene Kampf gegen die Abstraktion, hier Schicksal genannt, die das Wesen des Menschen zu verdecken sucht. Wesentlich, so scheint Frisch zu suggerieren, ist nicht das Gewesene, sondern das Entstehende. Das Gewesene kann nicht mehr zurückgenommen werden. Wiederholung gibt es im Leben nicht. Das Leben als Entwurf in die Zukunft betrachtet, Zeitgenosse sein im Sinne von existentieller Wachheit, die individuell geleistet werden muß und durch keine rückwärtsgerichtete Prophetie aufgewogen werden kann.

Auffällig viele von Frischs intellektuellen Helden sind Schachspieler: der Heutige, Graf Öderland, Don Juan, Stiller, Walter Faber und Kürmann. Das Schachspiel ist wohl deshalb ein Lieblingssymbol Frischs, weil es besonders viele Elemente seines künstlerischen Spielgedankens enthält. Es zeigt nicht nur die Dialektik zwischen analytischem Geist und Intuition («Die Dame darf alles»), es enthält außerdem Elemente, die das Leben selber zeichenhaft einzufangen scheinen: menschenähnliche Figuren, die durch Spieler bewegt werden (die unsichtbaren Fäden der Marionetten scheinen da wieder im Spiel zu sein), die Allgegenwart aller Möglichkeiten im Hinblick auf ein unerbittliches Schachmatt, der Reiz der Wiederholbarkeit, der im Spiel selber beschlossen liegt. *Herr Biedermann und die Brandstifter* ist, wie später auf anderer Ebene *Biografie*, ein rückwärtsgespieltes Schachspiel, bei dessen Spielablauf bei jeder Station gezeigt wird, daß der nächste Spielzug anders hätte verlaufen können, wenn im Spiele anstatt der Kausalität des Schicksalsmodells die Summe aller Möglichkeiten erkannt würde:

> Der die Verwandlungen scheut
> Mehr als das Unheil,
> Was kann er tun
> Wider das Unheil? (*Stücke* 509)

5. Das Spielbewußtsein in der Erzählung: *Mein Name sei Gantenbein* und *Biografie*

Als Max Frisch zum erstenmal mit Brecht zusammentraf, gab dieser dem jungen Schriftsteller das Manuskript des *Kleinen Organon für das Theater,* mit der Aufforderung, Kritik zu üben. Frisch zeigt sich von der Theorie der Verfremdung fasziniert:

Was Brecht in seinem Organon schreibt über den «Verfremdungs-effekt», nämlich: die theatralische Verfremdung solle den gesellschaftlich beeinflußbaren Vorgängen den Stempel des Vertrauten wegnehmen, der sie heute vor dem Eingriff bewahrt – ferner: der Zuschauer soll sich nicht einfühlen, es soll verhindert werden, daß das Spiel ihn in Trance versetzt, sein Vergnügen soll vielmehr darin bestehen, daß ihm im Spiel gewisse Vorgänge, die ihm vertraut sind und geläufig, verfremdet werden, damit er ihnen nicht als Hingerissener, sondern als Erkennender gegenüber sitzt, erkennend das Veränderbare, erkennend die besondere Bedingtheit einer Handlung, genießend das höhere Vergnügen, daß wir eingreifen können, produzierend in der leichtesten Weise, denn die leichteste Weise der Existenz (sagt Brecht) ist in der Kunst. (*T.* 293/94)

Wenn wir an Konzept und Ausführung der Frischschen Parabelstücke denken, vor allem an den *Biedermann,* so steht gerade die Anwendung derjenigen Verfremdungsaspekte, die Frisch hier hervorgehoben hat: Verhinderung der Einfühlung und Vergnügen an der Veränderbarkeit, außer jedem Zweifel. Was Frisch indessen – wegen seiner ideologielosen Stellung – besonders zu faszinieren scheint, ist Brechts Bemerkung, die leichteste Weise der Existenz sei in der Kunst. Dieses Postulat trifft sich mit Frischs eigenem, am Tagebuchstil geschulten Spielgedanken. Der Brechtschen Beschlossenheit in der utopischen Weltanschauung stellt er die Offenheit der diaristischen Seinserkenntnis entgegen, die sich in der bekannten Dialektik zwischen diskursiver Existenzerfahrung und spielerischem Nachvollzug zur sprachlichen Einkreisung der Wirklichkeit gestaltet. Frisch gelangt aus dieser Dialektik zu einem unerwarteten Ergebnis, zu einem Stil, der die Parabel nicht mehr braucht und sich gleichzeitig auch nicht in den «wertfreien» Ästhetizismus einer *Art-pour-l'art*-Kunst versteigt. Das Spiel an sich wird zum artistischen Anliegen. *Homo ludens,* der künstlerisch gestaltende Mensch, tritt mit *homo faber* in Verbindung. Nicht in der Verspieltheit, sondern im Zusammenspiel der beiden Bewußtseinslagen treten die wirklichen Verhältnisse hervor, ohne daß die Krücke eines ideologischen Denkmodells bemüht werden muß.

Spiel ist kein Ausweg. Kunst ist Spiel. Es fragt sich, was man unter Spiel versteht. Spiel entgegengesetzt der Geschichte: Spiel ist das, was wir tun können ohne eine Sachnötigung, aus Lust. Spiel ist, was wir repetieren können, was Sie im Leben nicht können. Spiel bedeutet auch, nicht einer direkten Lebensnotwendigkeit dienen. Wenn Sie ein Feuer anfachen, um nicht zu frieren, so geht das sehr leicht in ein Spiel über. Sie können das Feuer auch wieder so machen, daß Sie nicht frieren, aber Sie können es verschieden machen, Sie können damit spielen. Das Spiel ist eine höhere Art der Existenz. Ich würde nicht unbedingt sagen, daß es die leichteste Art sei, aber die höhere Art. Von daher ist sogar dieser absurde Satz von Schiller interpretierbar: Ernst ist das Leben, heiter die Kunst. Aber das ist natürlich schwierig. Das ist der *homo ludens* gegenüber dem *homo faber*. Wo dann noch dazwischen der *homo sapiens* steht, müßte man auch einmal untersuchen ... (*I.* 14)

Von Brechts «leichter Existenz in der Kunst» schlägt Frisch den Bogen zurück zu Schiller. Er selber ist auf der Suche nach dem *homo sapiens,* ein Weiser, der am hellichten Tage mit der Laterne in der Hand Menschen sucht. Den Menschen möchte er im Gegensatz zu Brecht nicht als *homo oeconomicus* determiniert haben, ebensowenig wie er ihn in Schillers moralischem Idealismus definiert sehen will. Frischs *homo sapiens* ist der Mensch in der Schwebe, der im Leben der Summe aller Möglichkeiten gegenübersteht. Das schwebende Bewußtsein, die Lust an der offenen Frage, der nur mit der eigenen Haltung, nicht mit der metaphysischen Antwort begegnet werden kann, führt zum anarchischen Existenzerlebnis: «wirklich sein».

Brechts Verfremdungstheorie wird zur Arbeitshypothese für die diaristische Erzähltechnik[83]. Die Antwort auf die Frage, wie das *Spielbewußtsein in der Erzählung* stilistisch zu bewältigen sei, liegt für Frisch auf der Hand: Er wählt die Tagebuchform. Er entwickelt den diaristischen Stil. Er wandelt das Bekenntnishaft-Private des diaristischen Subjektivismus zum virtuosen Spiel mit dem eigenen Bewußtsein, aus dem er neue Erkenntnisse für seinen Erzählstil in der reinen Fiktion gewinnt. «Erzählen, aber wie?» Diese Frage aus dem *Tagebuch 1946–1949* findet ihre Antwort im raffinierten Spiel mit Masken, die, als Sinnbild für die Austauschbarkeit erdichteter Rollen, als sichtbares Zeichen einer niemals endgültig erkennbaren Identität dienen: «Die Maske ist das, was erscheint, was sichtbar wird gegenüber dem Wesen. Die Rolle ist das, was sich darstellt gegenüber der Person. Die Person stellt sich in einer Rolle dar. Das Wesen selbst wird nie anschaulich durch die Maske, durch die Rolle, und es ist immer die Diskrepanz von Maske und Person, von Rolle und

Wesen. Schlicht gesagt: Wer bin ich? Ihr könnt mir sagen, was Ihr seht. Bin ich das? Das ist die Frage. Oder mit der Rolle: Ich agiere in dieser oder jener Weise. Wie weit bin ich das? Wie weit bin ich das nicht? Identitätsfrage!» (*I.* M) Von hier aus läßt sich die Grundidee, der künstlerische Vorwurf für den Roman *Mein Name sei Gantenbein* erkennen. Die Spielregeln für dieses große Maskenspiel werden – auch das gehört zum verfremdenden Spielbewußtsein in der Erzählung – im Roman selber offen genannt. Sie sind uns als Zitate aus früheren Schriften und theoretischen Auseinandersetzungen mit der Literatur bekannt, und sie erscheinen wörtlich identisch mit diesen außerliterarischen Äußerungen. Aus dem *Werkstattgespräch* beispielsweise finden sich Sätze wie: «Jedes Ich, das sich ausspricht, ist eine Geschichte.» «Jedermann erfindet sich früher oder später eine Geschichte, die er für sein Leben hält.» Auf die im *Tagebuch 1946–1949* festgehaltene Erkenntnis des Verhältnisses zwischen Idee und Wirklichkeit geht die Grundidee des Romans zurück: «Ein Mann hat eine Erfahrung gemacht, jetzt sucht er die Geschichte dazu.» Die Erfahrung, wie wir wissen, ist keine Geschichte, sondern eine plötzliche Idee, die nachträglich durch Geschichten illustriert werden muß, um erträglich, das heißt, vom Bewußtsein getragen werden zu können. Die Wirklichkeit ist nicht die Geschichte selbst, sondern sie erscheint in der ausgesparten Spannung zwischen der Summe aller spielbaren Rollen. Der Sinn des Spiels liegt in der Herstellung dieser Spannung zwischen Entwurf und Fertigem. Die Lust am Werdenden setzt sich selber die Grenze. Lebendig und nicht mechanisch bleibt das Spiel so lange, als es fragmentarisch skizzenhaft ist, als man «nicht vordringt zu seiner letzten Oberfläche».

«Diese Oberfläche alles letztlich Sagbaren, die eins sein müßte mit der Oberfläche des Geheimnisses, diese stofflose Oberfläche, die es nur für den Geist gibt und nicht in der Natur, wo es auch keine Linie gibt zwischen Berg und Himmel, vielleicht ist es das, was man die Form nennt?» (*T.* 34)

Alles, auch der Ausgangspunkt der Erzählung, muß in diesem schwebenden Bewußtsein geschehen, wenn der Grundgedanke des Romans konsequent durchgeführt werden soll.

Sprachlich ergibt sich für diesen Ausgangspunkt der konsequente Gebrauch des Konjunktivs, als Ausdruck der Variationsmöglichkeiten, die sich nie zur abgeschlossenen Wirklichkeit verdichten. Die konjunktivistische Form wird leitmotivlich angekündigt durch die Formel: «Ich stelle mir vor ...» Die Variationsmöglichkeiten der verschiedenen Erlebnismuster erfordern ein kompliziertes Spiegelungsverfahren. Nicht nur die Geschichten eines erzählenden Ichs werden «anprobiert wie Kleider». Auch dieses Ich muß seine Position, seinen Charakter, seine Eigenschaften ständig ändern wie ein Chamäleon. Das Problem: Spiegel, die sich ineinander spiegeln, bleiben leer. Es muß also ein Bewußtseinsmittelpunkt da sein, von dem das Licht ausgeht, das die verschiedenen Erzählerexistenzen beleuchtet, auf den sie sich beziehen. Dieses Zentrum ist ein weibliches Phantom, Lila genannt, das nie Person, sondern nur Bezugspunkt, Katalysator des Bewußtseins in diesem atemlosen blinden Spiel ist[84]. Lila ist die Farbe, in der der «blinde» Gantenbein die Welt durch seine Blindenbrille sieht. Es ist die Farbe der Herbstzeitlosen, ein geniales Symbol: Was aus dem ganzen Spiegelspiel am Ende als Erkenntnis der Wirklichkeit deutlich wird, ist die Erfahrung der Vergängnis: «Vergangenheit ist kein Geheimnis mehr, die Gegenwart ist dünn, weil sie abgetragen wird von Tag zu Tag, und die Zukunft heißt Altern ...» (*Gantenbein* 211) Das Spiel ist aus, wenn diese Erkenntnis eintrifft, denn damit zeichnet sich auch das Absolute ab, das nicht erreicht werden darf, wenn das Spiel seinen Sinn beibehalten soll: «Was keine Variante mehr zuläßt, ist der Tod.»

Ein weiteres wichtiges Element des Spiegelspiels besteht in der diaristischen Erfahrung der Zeit. Wenn im *Gantenbein* auch die äußere Tagebuchstruktur nicht mehr wie in *Stiller* und *Homo faber* angewendet wird (der ständige Wechsel des Erzähler-Ichs macht dies unmöglich), so finden wir andererseits die Tagebuchelemente der chronischen und Erlebniszeit, die in einer spielerischen Gegenüberstellung einen weiteren Spiegeleffekt ermöglichen. Das Zeitereignis, das kalendarisch fixierbare, wird mit den Hinweisen auf den (zur Zeit der Romanniederschrift tobenden) algerischen Befreiungskrieg und auf andere zeitgeschichtliche Gegebenheiten dargestellt. Die

Erlebniszeit – wir erinnern uns – erfährt sich in der Allgegenwart aller Erfahrungen und Erinnerungen, die im Spiegelspiel souverän durcheinandergeworfen werden können:
Wiederholung ist möglich als neuer Entwurf. Ein solcher
Entwurf wird, wie ein Zug im Schachspiel, erst belassen,
wenn er stimmt. Jede Rolle hat ihre Grenzen, markiert durch
ihre innere Glaubwürdigkeit und durch ihre Spielfunktion.
Eine Variante muß zurückgenommen werden, sie «geht nicht»,
wenn diese Grenze erreicht ist. An sich wäre – und das
kann als letzte Spiegelungsmöglichkeit gesehen werden –
Erfahrung möglich, auch wenn ich weiß, daß die Geschichte,
die ich erzähle, nie geschehen ist und nie geschehen wird:
wenn ich verzichte auf die Täuschung, die im epischen Imperfekt liegt, auf die Vorspiegelung geschichtlicher Vorkommnisse. Damit wäre die höchste Stufe, das Spielbewußtsein
in der Erzählung, erreicht. Die Skizzen, fragmentarische Entwürfe in die Zukunft, umkreisen die Idee, die immer schwe-
bend bleibt und nie in Vollendung ausgedrückt werden kann.
Elementar bleibt das Bedürfnis eines Menschen, sich im Ausdruck zu erleben: «Um sich auszudrücken, muß er fabulieren:
er macht Entwürfe zu einem Ich, das er in fiktiven Situationen ausprobiert[85].» Einmal mehr, und hier in ganz besonderer Intensität, verlangt Frisch von seinen Lesern das Ein-
halten seiner Verfremdungs-Spielregeln: die ständige und
anhaltende Reflexion über eine Totalität der Fiktion, die im
Wesen der Sprache selber begründet ist. Der Illusionismus
des Theaters zeigt sich in der Tendenz des Zuschauers, die
Bühnenhandlung mit der Wirklichkeit zu verwechseln. Frisch
zeigt, daß der Illusionismus im Zeichen selber steckt und sich
im doppelten Symbolgehalt der fiktiven Erzählung potenziert.
    Das Postulat des Spielbewußtseins in der Erzählung be-
deutet eine Befreiung aus der magischen Unbedingtheit des
sprachlichen Wirklichkeitsanspruchs. In der Reflexion über
sich selber wird die Sprache frei, das zu tun, was zu leisten
ihr kraft ihrer Beschaffenheit einzig möglich, was ihre Sen-
dung ist: die Schaffung einer Gegenwirklichkeit als Reich der
Freiheit, von der aus die Fäden unserer eigenen Bedingtheit
sichtbar werden. Man sollte ohne Geschichte leben können.
Da dies nicht möglich ist, so soll dem Geschichtenanpassen

wenigstens das Vergnügen anhaften, es als Spiel zu empfinden. Ernst ist das Leben, heiter die Kunst. «... gerade die spielende Fiktion, der jede Variante erlaubt ist, erweist sich als die zwingende Umschreibung der Erfahrung, als die Entdeckung der Person[86].»

Im Spiel liegt ein kindliches Element. Mit dem Spielbewußtsein in der Erzählung verlangt Frisch von seinen Lesern ein Raffinement des Bewußtseins, gepaart mit einer spielerischen Naivität. Es ist dieselbe Art von raffinierter Naivität, wie wir sie in der Tradition des Schelmenromans finden[87]. Die Welt der reinen Fiktion, die wir aus dem *Don Quijote,* dem *Simplizissimus,* dem *Candide* kennen, eine Welt, die nur zu überzeugen hat, um sprachliche Gegenwirklichkeit zu werden, wird im virtuosen Spiegelspiel des *Gantenbein*-Romans noch eine Stufe weiter geführt, indem dem erzählenden Ich die Erlaubnis erteilt wird, sich selber in ständig neue Geschichten zu hüllen, sich dauernd neu zu gebären und zu verwerfen in spielerischer Schöpfersouveränität. Mit *Mein Name sei Gantenbein* ist Frisch der linguistische *Candide* unserer Tage geglückt.

Das Spielelement kann auch als ein höchst theatralisches Element verstanden und von seiner dramatischen Wirksamkeit her gesehen werden. Gantenbeins Mummenschanz mit Blindenbrille, Armbinde und Stöckchen erinnert an die improvisierten Verkleidungen von Kindern, die vor dem Spiegel Theater spielen. Dazu kommt, daß die Gestalt des Blinden selber dramatisch höchst ausgiebig ist. Im *Tagebuch 1946–1949* finden sich in einer Betrachtung über das «Theatralische» einige Bemerkungen über das Stück *Der Blinde* des damals noch fast unbekannten Friedrich Dürrenmatt (Frisch: «ein Name, den man auch in Deutschland noch kennenlernen wird»). Frisch interessiert sich besonders für eine Szene, in der der blinde Herzog, im Glauben, in einem heilen und verschonten Land zu wohnen, sich inmitten eines seinen Glauben verhöhnenden Gesindels von diesem huldigen läßt: «... der Blinde spricht sie an, wie er sich vorstellt, daß sie es verdiene, wir aber sehen die verrotte Person, deren Segen als Äbtissin er gläubig erbittet – kniend ... Musterbeispiel einer theatralischen Situation: die Aussage liegt gänzlich im Widerspiel von Wahrnehmung und Imagination. Hier spielt das Theater sich selbst.» (*T.* 263)

Von hier aus erkennen wir die Raffinesse der Gantenbein-Idee: Der Glaube liegt diesmal auf seiten der Sehenden – der Glaube nämlich an Gantenbeins Blindheit. Die Zuschauer glauben, sich weiden zu können an der Diskrepanz der imaginären Wirklichkeit, in der sich der Blinde befindet, und der diskursiven, die sie selber zu erkennen wähnen. Die ganze Zeit über bewegen sie sich indessen selber unter dem ironischen Blick des «Blinden», und wir genießen diese doppelte Brechung eines Spiegelbildes als Miteingeweihte. Das Theater, das sich selbst spielt in Widerspiel und Imagination: Hier wird es Ereignis – als Spielbewußtsein in der Erzählung.

An dieser Stelle erscheint natürlich auch wieder die Gefahr, daß der sehende Blinde sich in die Position des allwissenden Erzählers gedrängt sieht. Frisch begegnet dieser Gefahr, indem er dem blinden Gantenbein die schwächende Eigenschaft der Eifersucht verleiht, die er kunstvoll als Prinzip des Erkennens, oder vielmehr der beschränkten Erkenntnisfähigkeit, in das Spiel einbaut. Eifersucht, so definiert Frisch im *Tagebuch 1946–1949,* ist Angst vor dem Vergleich, das allgemeinste Gefühl von Minderwert. Von hier aus deutet er Shakespeares Othello-Figur: Othello muß ein Mohr sein, um von Jago (der damit seine Schwäche erfaßt hat) in die Eifersucht hineingetrieben werden zu können: «... der Griff auf beide Tasten, die Shakespeare hier macht, ist ungeheuer. Er deutet das eine mit dem andern. Das besondere, scheinbar fremde Schicksal eines Mannes, der eine andere Haut oder eine andere Nase hat, wird uns erlebbar, indem es in einer verwandten Leidenschaft gipfelt, die uns bekannt ist: die Eifersucht wird beispielhaft für die allgemeinere Angst vor dem Minderwert, die Angst vor dem Vergleich, die Angst, daß man das schwarze Schaf sei –.

Wenn Othello kein Mohr wäre?

Man könnte es versuchen – um festzustellen, daß das Stück zusammenbricht, daß es seine wesentliche Metapher verliert; um einzusehen, daß der Eifersüchtige immer ein Mohr ist.» (*T.* 435)

Für das Gantenbein-Spiel, das ja auch ein Spiel mit Vergleichen ist, ergibt sich daher fast zwangsläufig die Folgerung:

Gantenbein sei ein Eifersüchtiger, ein Othello. Der Mangel an Allwissenheit ergibt sich demnach aus seiner Eifersucht: Wenn sie ihn ergreift, legt er seine souveräne Distanziertheit ab, er fällt aus der Rolle, wird gar rabiat, eine Figur, die der Lächerlichkeit anheimfällt, zur archetypischen Lustspielgestalt des gehörnten Gatten wird und die damit auch, was ihre objektive Beobachtungsfähigkeit anbetrifft, den Boden unter den Füßen verliert. Mit dem Kunstgriff, ihn als einen Eifersüchtigen zu zeigen, entläßt Frisch das fiktive Erzähler-Ich Gantenbein wegen verminderter Zurechnungsfähigkeit: «Eifersucht als Beispiel dafür, Eifersucht als wirklicher Schmerz darüber, daß ein Wesen, das uns ausfüllt, zugleich außen ist. Ein Traumschreck bei hellichtem Tag. Eifersucht hat mit der Liebe der Geschlechter weniger zu tun, als es scheint; es ist die Kluft zwischen Welt und dem Wahn, die Eifersucht im engeren Sinne nur eine Fußnote dazu, Schock: die Welt deckt sich mit dem Partner, nicht mit mir, die Liebe hat mich nur mit meinem Wahn vereint.» (*Gantenbein* 420)

Einmal mehr erweist sich an Hand der Tagebuchreflexionen, daß die scheinbar so privaten Eheprobleme im Werke Frischs Metaphern sind für einen grundsätzlichen Problemkreis, für das Postulat «wirklich» zu sein, das von der Erkenntnis der Komplexität menschlicher Verhaltensweise im Wechselspiel der Rollen getragen wird. Der mit dem Thema «Eifersucht» angetönte ständige Verdacht, die eigene Rolle vermöge nicht zu überzeugen, man biete von außen gesehen ein anderes Bild als das selbstgewählte, führt zu einem fast rituell zu nennenden Rollenspiel des Eifersüchtigen, das im verzweifelten Versuch begründet liegt, die gestörte Balance der Identität wiederherzustellen. Der Eifersüchtige, der beim Verlassen des Zimmers ein Tonbandgerät einschaltet, um später die in seiner Abwesenheit gemachten Bemerkungen über seine Person, oder vielmehr über die Überzeugungskraft seiner Rolle, abhören zu können, «lechzt nach Verrat»: «Ich möchte wissen, wer ich bin. Was mich nicht verrät, verfällt dem Verdacht, daß es nur in meiner Einbildung lebt, und ich möchte aus meiner Einbildung heraus, ich möchte in der Welt sein. Ich möchte im Innersten verraten sein.» (*Gantenbein* 419)

Der vor Eifersucht Blinde möchte sehen können wie der

«blinde» Gantenbein, den Verrat, der ihm Gewißheit schafft und von dem er erhofft, Fingerzeige für die Korrektur seiner Rolle zu erlangen. Die allwissende Abgeklärtheit stellt sich nicht ein, denn es ist unmöglich, das eigene Wesen im Rollenspiel der andern zu erkennen. Es bleiben die Spiegel und die Angst vor der Wiederholung, in der sich die Beschränktheit des eigenen Spiels erweisen muß.

Am Ende des Romans kommt dieser Überdruß als Ermüdungserscheinung zum Ausdruck. Die Leiche, «Inconnue de la Limmat», die hinausgleiten möchte, wird eingefangen, identifiziert, registriert. Sie hängt an den Fäden. Das Spiel ist aus. Die Schachfiguren werden vom Brett gewischt: «Alles ist, wie nicht gewesen!» Aber danach, anstatt des resignierenden Sartreschen «Eh bien, continuons!», das ironische, von der Allgegenwart alles Möglichen getragene: «Leben gefällt mir –»

Die stark theatralischen Elemente des Spiegelspiels in *Mein Name sei Gantenbein* riefen bei Frisch das naheliegende Bedürfnis hervor, ein ähnliches Spiel mit dem adäquaten Medium der Bühne zu versuchen. Das Stück *Biografie* wird im Untertitel bewußt als *ein Spiel* identifiziert, und wie bereits bei *Gantenbein* erklärt der Autor gleich am Anfang seine Spielregeln und den Sinn des Spiels: «Das Stück spielt auf der Bühne. Der Zuschauer sollte nicht darüber getäuscht werden, daß er eine Örtlichkeit sieht, die mit sich selbst identisch ist: die Bühne. Es wird gespielt, was ja nur im Spiel überhaupt möglich ist: wie es anders hätte verlaufen können in einem Leben. Also nicht die Biographie des Herrn Kürmann, die banal ist, sondern sein Verhältnis zu der Tatsache, daß man mit der Zeit unweigerlich eine Biographie hat, ist das Thema des Stücks, das die Vorkommnisse nicht illusionistisch als Gegenwärtigkeit vorgibt, sondern das sie reflektiert – etwa wie beim Schachspiel, wenn wir die entscheidenden Züge einer verlorenen Partie rekonstruieren, neugierig, ob und wo und wie die Partie wohl anders zu führen gewesen wäre. Das Stück will nichts beweisen.» (*Stücke* 856)

Das Thema des Stücks, so lautet die Anweisung, sei «nicht die Biographie des Herrn Kürmann, sondern *sein Verhältnis zu der Tatsache, daß man mit der Zeit unweigerlich eine Biographie hat».* Damit sind die Koordinaten gezogen: Das Stück behandelt das Bewußtsein eines Einzelmenschen von der Akkumulation von Entwürfen in die Vergangenheit, die er in ihrer chronologischen Linearität zu einer Lebensgeschichte stilisiert, wobei in der diskursiven Bezogenheit der einzelnen Daten sich eine Struktur von Notwendigkeit und Schicksal abzuzeichnen scheint. Im Spiel darf Kürmann Schicksal spielen, das heißt, er hat die Möglichkeit, einzelne Glieder der Indizienkette seiner biographischen Befangenheit auszuwechseln. Als Spielprämie hängt im Hintergrund verlockend die Aussicht, sein Leben im kartesianischen Sinn meistern zu können: die positivistische Meisterung des Schicksalsbegriffs durch rationelle Mittel. Der Ausgang des Spiels steht von vornherein fest: Es hat nur einen Sinn, wenn es von Kürmann verloren wird. In der Brechtschen Verfremdungsmanier soll der Vorwurf durch den Verlauf des Stücks eingeholt werden, wobei nun die deutliche Abkehr von der Parabeltechnik vollzogen wird.

Es lohnt sich, an dieser Stelle eine kurze Betrachtung über die Frage der Veränderbarkeit des Menschen bei Brecht einzuschieben und sie mit Frischs Auffassung zu konfrontieren. Zur Veranschaulichung eignet sich besonders *Der gute Mensch von Sezuan,* ein Stück, das ja, abgesehen von der grundsätzlichen Thematik, auch einen Rollenwechsel auf offener Bühne beinhaltet. Zunächst läßt sich bemerken, daß bei Brecht die Verwandlung von Shen Te in Shui Ta mit einem ungleich gröberen theatralischen Mittel erreicht wird, mit dem allerelementarsten, nämlich mit einem bloßen Vertauschen der Masken. Die Verwandlung von einer Frau in einen Mann, die in ihrer Pikanterie und biologischen Unwahrscheinlichkeit einen der ältesten Komödienstoffe überhaupt darstellt, wird von Brecht von vornherein als reine Demonstrationssituation präsentiert. Wesentlich ist ja nicht, ob Shen Te ihre Hosenrolle psychologisch glaubwürdig durchhält. Sie kann auch gar nicht aus der Rolle fallen, weil sie nur parabolisch ist. Die Rolle wird nie mit der Identität verwechselt, sie bleibt Maske. Die anderen Figuren des Stücks aber verhalten sich zur Maske Shui Ta, als ob sie das nicht sehen könnten, was für den Zuschauer offenkundig ist: Sie spielen vor unseren Augen die

Blinden und bereiten uns so das theatralische Vergnügen, als Sehende erleben zu können. Die Glaubwürdigkeit der Rolle des Shui Ta ergibt sich aus seinem veränderten Verhalten, das nicht psychologisch, sondern ökonomisch ist: Shen Te hätte auch die ungleich näher stehende Rolle einer reichen Cousine spielen können; damit wäre aber der Demonstrationscharakter des Rollenwechsels erheblich geschwächt worden. Gezeigt soll ja nicht werden – und hier wird der Abstand zum Rollenspiel der *Biografie* deutlich –, ob es Shen Te mit den ihr zur Verfügung stehenden Erlebnismustern gelingt, eine neue Existenz anzufangen, gezeigt werden das typische Verhalten eines ausgebeuteten Menschen und dasjenige eines Ausbeuters, wobei, nach Brechts Ideologie, dieser Verhaltenszwang biologische, physiologische und psychologische Äußerlichkeiten spielend überdeckt. Die Veränderung – so wird aufgezeigt – kann gar nicht vom einzelnen aus gelingen, und die Veränderung des einzelnen hätte auch gar keinen Sinn. Wir verändern unser Leben, wenn wir die Welt verändern, wobei das letztere immer das primäre Anliegen bleiben muß. Das *Wie* der Veränderung wird von Brecht in der berühmten Schlußszene außerhalb des Theaters verlagert: Eigentlich sollten im Foyer des Theaters Funktionäre warten, um den Zuschauern nach Spielende Aufnahmeformulare für die K.P. in die Hand zu drücken.

Es ist nicht unerheblich, daß Kürmann bei den zwei Entscheidungen, zu denen er sich durchringen kann – die eine öffentlich, die andere privat –, bei der öffentlichen den Eintritt in die K.P. wählt und sich damit einer Organisation anschließt, die ihm bei Aufgabe seiner individuellen Entscheidungsansprüche die neue Identität auf dem Umweg über eine revolutionär veränderte Welt garantiert. Vielleicht findet sich hier eine ironische Abrechnung mit Brecht, von dessen dialektisch brillanten Debatten Frisch jeweils, wie er im Tagebuch bemerkt, «geschlagen, aber nicht überzeugt» (*T.* 285) zurückkehrte. Nirgends so sehr wie in *Biografie* zeigt sich der Abstand zwischen ideologisiertem und diaristischem Denken. Auf der einen Seite die Erkenntnis der finsteren Zeiten, in denen ein Gespräch über einen Baum vermieden werden muß, solange das Wesentliche, die Veränderung, noch nicht geleistet ist, auf der anderen Seite das Mißtrauen in das Rezept der Veränderung bei völliger Übereinstimmung mit der Analyse der Verhältnisse[88]. Aber auch Ideologien, so deutet Frisch an, unterstehen dem Gesetz der Veränderbarkeit. Ihre Brauchbarkeit ist demnach immer nur temporär. Wir können zwar nicht erfahren ohne Denkmodelle, doch sollen sie wie morsche Krücken gesehen werden, von denen wir keine Heilung, sondern nur zeitweilige Unterstützung erwarten können. Das einzige, was wir zu leisten vermögen, ist Wahrhaftigkeit der Darstellung einer geistigen Not des einzelnen, die sich nicht nur angesichts der finsteren Zeiten, sondern auch aus dem Gefühl der Ohnmacht des einzelnen, dem «In-den-Fäden-Hangen», ergibt. Der dichterische Auftrag, der sich aus dieser Situation ergibt, beschränkt sich auf die Sichtbarmachung der Möglichkeiten des Daseins, die ihre Überzeugungskraft aus der inneren Wahrhaftigkeit der Erlebnismuster schöpft. Von der realistischen Darstellung der Welt, von der paradigmatischen, der wirklichen und der utopischen Verhaltensweise ergibt sich für Frisch der Rückzug auf das individuelle Seinserlebnis mit der damit verbundenen Problematik der Erkenntnisbeschränkung und der sprachlichen Ausdrucksgrenzen: ein Rückzug auf die eigene Erlebniswelt und die Darstellung derselben mit Hilfe der Tagebuchform. Diese Bescheidung aus Erkenntnis wird von Frisch am Ende seiner *Büchner-Rede* erläutert, wo wir lesen: «Es ist eine Resignation, aber eine kombattante Resignation, was uns verbindet, ein individuelles Engagement an die Wahrhaftigkeit, der Versuch, Kunst zu machen, die nicht national und nicht international, sondern mehr ist, nämlich ein immer wieder zu leistender Bann gegen die Abstraktion und ihre tödlichen Fronten, die nicht bekämpft werden können mit dem Todesmut des einzelnen; sie können nur zersetzt werden durch die Arbeit jedes einzelnen an seinem Ort[89].»

Wie im Tagebuch geht es demnach bei der wahrhaftigen Darstellung einer lebendigen Kreatur nie um das private Schicksal, sondern immer um die Veranschaulichung von Bewußtseinslagen, die als Chiffren für die Regeln eines Spiels hervortreten.

Es gilt bei Kürmanns Wiederholungsspiel nicht zu beweisen, «daß man eben nicht aus seiner Haut schlüpfen könne». Eine solche Demonstration wäre allzu banal und erweckte kaum unser Interesse. Was gezeigt werden soll, ist unser Verhältnis zum Bewußtsein, eine Biographie zu haben, die uns nie befriedigen wird, weil sie aus der Summe aller Möglichkeiten nur immer die eine Entscheidung darstellt, das Leben also in einer schicksalhaften Unbedingtheit darstellt, wo unser Bewußtsein die Wahl, das Ausprobieren fordert. Wiederholung ist nur im Spiel möglich, niemals im wirklichen Leben. Die höhere Existenz des Spielens, so wie sie in *Biografie* erwiesen werden soll, zeigt die einzige Möglichkeit der nichtmetaphysischen und nichtideologischen Seinserfahrung. In der anarchischen Freiheit des Spiels wird die Wirklichkeit ertragbar. Sie ist dann nicht mehr «Biographie», sondern Abenteuer, eine Kolumbusfahrt in die unentdeckten Kontinente der eigenen Seele.

Frisch betont gleich am Anfang, daß die Biographie Herrn Kürmanns von ihrer Durchschnittlichkeit, ihrer Banalität her gesehen werden muß. In Kürmann finden wir einmal mehr den intellektuellen Antihelden, den denkenden, aber nicht genialen Menschen, der das Potential, aber nicht das Modell eines «wirklich» lebenden Zeitgenossen verkörpert. In dieser Beschränkung auf das Atypische liegt die Abkehr von der Parabelform: Ein sich durchwurstelnder durchschnittlicher Zeitgenosse wird niemals den Anspruch auf Einsichten erheben können, die wir nicht alle selber haben. Der Schriftsteller legt seinen didaktischen Zeigestock aus der Hand und setzt sich zu uns ins Parkett. Der ironische Spaß bleibt: Kürmann ist innerhalb der Subspezies Intellektueller insofern doch ein Sonderfall, als sein Forschungsgebiet die Verhaltensforschung ist. Wir beobachteten also das Verhalten eines Verhaltensforschers, der sein eigenes Verhalten beobachtet. Frisch steuert aber sogleich einem möglichen Irrtum, dem nämlich, daß wir in Kürmann einen *bedeutenden* Verhaltensforscher und wissenschaftlich-populären Star nach bekanntem Muster erkennen könnten: Kürmanns «Möwenversuch Nr. 411», auf dem sich sein Ruf begründete, erweist sich als «Zufall», die daraus abgeleiteten Regeln als Irrtum. Wie bei

Don Juan ist der Ruf stärker als die Fakten, auf die er sich gründet. Um mögliche parabolische Mißverständnisse weiterhin auszuschließen, vor allem das Mißverständnis, das aus der elementar pathetischen Aussagesuggestion des Bühnensprechers entstehen könnte, gibt Frisch dem Protagonisten den Registrator bei, den er nicht als Vertreter einer metaphysischen Instanz, aber auch nicht einfach als Kommentator verstanden haben will. «... er wendet sich nie ans Publikum, sondern assistiert Kürmann, indem er ihn objektiviert.» Mit dem Registrator soll demnach das diaristische Bewußtsein verkörpert werden, das Kürmann helfend zur Seite steht, wo sein Gedächtnis ihn im Stiche läßt oder wo seine Phantasie allzu wilde Sprünge vollführt und die nachvollzogene Rolle damit unglaubwürdig wird. Der Registrator ist das Korrektiv der Wahrhaftigkeit, sein Dossier nicht Protokoll, auch «nicht ein Tagebuch [...] dieses Dossier gibt es, ob geschrieben oder nicht, im Bewußtsein von Kürmann: die Summe dessen, was Geschichte geworden ist, seine Geschichte, die er nicht als einzig mögliche anerkennt.» (*Stücke* 856) Wir begreifen: Kürmann ist ein Mensch ohne Tagebuchbewußtsein, aber mit Erlebnismustern. Was das Spiel uns zeigt, ist eine Illustration der Theorie, die wir aus dem Werkstattgespräch kennen, daß nämlich Erfahrung als Einfall, nicht als Ergebnis aus Vorfällen zu verstehen sei und daß jeder Vorfall Anlaß zu hundert verschiedenen Erfahrungen sein könne. Es sind die Vorfälle, die aus der *De-facto*-Wirklichkeit stammenden Erlebnismuster, die der Registrator in seinem Dossier aufbewahrt und auf Wunsch dem an seiner Geschichte bastelnden Kürmann zur Reflexion zur Verfügung stellt. Der Mechanismus: Erlebnismuster–Reflexion–Geschichte entspricht genau dem Ablauf der Bewußtseinslage im Tagebuch. Im offenen Spiel kommt das diaristische Gebundensein an die individuell beschränkte fixe Summe der Erlebnismuster deutlich zum Ausdruck. Der Registrator korrigiert Kürmann wiederholt, wenn er mit Erlebnismustern flunkert, die nicht zu seinem eigenen Erlebnisbereich gehören: Er hält ihn zur Wahrhaftigkeit an; die biographischen Rollen müssen, auch im Spiel, stimmen[90]. Wie im *Gantenbein*-Roman hat in der *Biografie* ein Mann ein Erlebnis gehabt, und nun sucht er dazu eine passende Geschichte. Das «Erlebnis» im Falle Kürmann ist eine gescheiterte Ehe, von der er nachträglich feststellen zu können glaubt, sie wäre vermeidbar gewesen, wenn ihm an einem ganz bestimmten Zeitpunkt eine andere Entscheidung gelungen wäre. An diesem Beispiel macht Frisch besonders deutlich, was er unter *Dramaturgie der Fügung* versteht.

Unser Denken – zumindest das Denken des abendländischen Menschen seit der französischen Aufklärung – funktioniert diskursiv nach empirischen Grundsätzen. Jede Wirkung, so hat uns der naturwissenschaftliche Positivismus gelehrt, könne auf eine oder mehrere kausal verknüpfte Ursachen zurückgeführt werden. In diesem Sinne wurden auch die mit den Worten «Schicksal» oder «Fügung» umschriebenen Seinszusammenhänge dem Gesetz der Empirie unterstellt, was sich am besten am Beispiel der delphischen Orakelsprüche erläutern läßt. Es gehört zum Wesen der dunklen Weisheiten der Pythia, daß ihre Relevanz und auch ihr Doppelsinn erst im Moment der Erfüllung, sei es im Glücksfall oder in der Katastrophe, sichtbar werden. Der Orakelspruch ist eine vorgeworfene Geschichte, die Skizze eines Bildes, das schlagartig scharfe Konturen gewinnt, sobald ein passendes Ereignis die halbwegs passende Kongruenz dazu liefert. Je vager ein Orakelspruch demnach ist, um so größer ist die Wahrscheinlichkeit, daß er in Erfüllung geht. Das Orakel wird zur Prophezeiung, die sich automatisch selbst erfüllt. Im *Tagebuch 1946–1949* lesen wir: «Kassandra, die Ahnungsvolle, die scheinbar Warnende und nutzlos Warnende, ist sie immer ganz unschuldig an dem Unheil, das sie vorausklagt? Dessen Bildnis sie entwirft[91]?» (*T. 33*)

Wir erinnern uns an Frischs Versuch, in *Herr Biedermann und die Brandstifter* die Struktur der Schicksalstragödie *ad absurdum* zu führen, indem er die Voraussetzungen umkehrte. In *Biografie* finden wir eine ähnliche Ausgangslage. Kürmann «plant» den unglücklichen Verlauf und Ausgang seiner Ehe sehr genau, indem er seine Beziehung zu Antoinette schon beim ersten, belanglosen Flirt mit einem «Orakelspruch» belädt. Kaum haben die beiden ein paar Worte getauscht, so «weiß» er schon sicher: «Ich werde Sie verehren, daß die Welt sich wundert, ich werde Sie verwöhnen. Ich kann das.

Ich werde Sie auf Händen tragen, Sie eignen sich dazu. Ich werde glauben, daß ich ohne Antoinette Stein nicht leben kann. Ich werde ein Schicksal daraus machen. Sieben Jahre lang. Ich werde Sie auf Händen tragen, bis wir zwei Rechtsanwälte brauchen.» (*Stücke* 704) Seine anmaßenden Worte sind im wahrsten Sinne eine Einbildung. Er wird nun alles tun, um ihr gerecht zu werden. Eine solche «Geschichte, die das Leben schrieb», einmal spielerisch umzukrempeln, den durchschauten Determinismus des Schicksalsbegriffs zu unterlaufen, Variationsmöglichkeiten dort aufzuzeigen, wo im Bewußtsein starre Fügung waltete, den Zufall als Einfall zu entlarven, dahin ist das Stück *Biografie* angelegt. Was in *Mein Name sei Gantenbein* die konsequente Anwendung des Konjunktivs und die Formel «Ich stelle mir vor» anstrebten, wird im Stück durch den offenen Probencharakter, der technisch durch den Wechsel zwischen «Arbeitslicht» und «Spiellicht» erreicht wird, veranschaulicht. Im *Biografie*-Spiel geht es nicht darum, das banale Privatleben des Protagonisten Kürmann gegen ein anderes – notwendigerweise ebenso banales – auszutauschen. Es ist zwar genau das, was Kürmann tun möchte und wozu ihm die Wahl erlaubt wird. Doch erschöpft sich der Sinn des Spiels nicht in der Erkenntnis, «man könne eben nicht aus seiner Haut schlüpfen» – obschon dies gerade für den Durchschnittsmenschen Kürmann der Weisheit letzter Schluß zu sein scheint –, sondern es soll vielmehr untersucht werden, ob Korrektur der Vergangenheit, selbst wenn sie möglich wäre, einen Sinn hätte. Bei der Struktur des umgekehrten Schachspiels, auf der das Stück sich aufbaut, wird ein anderer Sinn klar, nämlich der, daß wir bei der Summe aller Möglichkeiten durchaus und jederzeit wählen könnten, daß wir aber die durch unsere Bewußtseinslage geformten Bilder als Leitbilder wählten und uns damit selber den Zugang zu möglichen Varianten verbauten. Das «Anpassen von Geschichten» erweist sich als identisch mit dem Schicksalsbegriff: Man braucht eine Biographie, um leben zu können. Daher sind auch die einzelnen Erlebnismuster als solche irrelevant. Sie können, da sie ja nur als Idee eines ganz bestimmten Bewußtseins als Erfahrung beschreibbar werden, jederzeit gegen andere umgetauscht werden, ohne dieses Bewußtsein zu ändern. Nur die Erfahrung ändert sich, und die Erfahrung kommt in jedem Fall von außen, ist also für den einzelnen unkontrollierbar.

Im Stück wird das mit der Figur der Antoinette Stein demonstriert. Wie Lila im *Gantenbein* ist Antoinette ein Phantom, sie ist – der Kalauer drängt sich auf – der Stein des Anstoßes, weiter nichts. Ihr Privatleben, sofern es sich nicht mit demjenigen Kürmanns berührt, ihre Gefühle bleiben verborgen. Kürmanns ganzes Streben geht danach, die Erfahrung Antoinette, die er in seiner schicksalsdramatischen Biographie als Exposition der ehelichen Katastrophe empfindet, aus seinem Bewußtsein auszumerzen. Dies glaubt er tun zu können, indem er sein eigenes Verhalten in der Vergangenheit ändert. Der Versuch ist von vorneherein untauglich, weil er vom Bewußtsein des *Jetzt* ausgeht, von einer Konstellation also, die ebenfalls nur als Bild erfaßbar ist, das als gewissermaßen schon erfüllter Orakelspruch die Endstation von beliebig vielen und verschiedenen Biographievarianten werden muß, die sich alle diesem Ausgang in retrospektiven Kausalketten anpassen müssen. Wenn nun Antoinette dem verzweifelten Kürmann bei jedem seiner Versuche, sie aus seinem Leben zu entfernen, am Ende wie ein Kobold aus dem Kistchen wieder entgegenspringt, so bedeutet das genau das Gegenteil von unabwendbarem Schicksal. Es ist für die Bedeutung des Spiels vollkommen irrelevant, ob Kürmann seine Antoinette bekommt oder nicht. Nur er sieht sie als *femme fatale*. Dabei ist sie ebenso wie er interessiert daran, eine Beziehung, in die sie gegen jede Wahrscheinlichkeit hineingeraten ist, ungeschehen zu machen. Ihre Liaison mit Kürmann, so wird bei der Leichtigkeit, mit der sie sich aus seinem Leben wegheben kann, deutlich, hat nichts Schicksalshaftes an sich. Sie entsprang der Zufälligkeit einer Neigung, die sich ebensogut nicht hätte einstellen können. Ihr Ausscheiden aus dem Spiel ändert nichts am eigentlichen Problem Kürmanns, daß er nämlich, ob mit oder ohne Antoinette, in diesem Augenblick vom Tode gezeichnet ist: Das einzig Wirkliche, die Vergängnis, wird sichtbar und gleichzeitig auch die Erkenntnis, die über das Spiel hinausweist: Wählen kann er nur sein Verhalten zur Vergängnis, dazu, daß er verloren ist:

An Stelle der verworfenen «Dramaturgie der Fügung» zeichnet sich eine neue «Dramaturgie der Permutation» ab.

In *Biografie* findet ein anderes Tagebuchelement, die diaristische Auffassung der Zeit als «Erlebniszeit», im Gegensatz zur linear-historischen Chronologie, besonders deutlich seinen Ausdruck. Neben den Erlebnismustern, die dem Protagonisten als Vergangenheit erscheinen, obgleich sie ihm ebenso präsent sind wie eben Erlebtes, treten, vom Registrator beschworen, andere Daten hervor, die als «Weltereignisse» parallel laufen zu Kürmanns eigenen Erlebnissen, diese jedoch nicht berühren, in keinem direkten Zusammenhang zu ihnen zu stehen scheinen und – wie es bei der Frankfurter Uraufführung durch die Projektion von Wochenschaufilmen auf hochhängender Leinwand angedeutet wurde – recht eigentlich über seinem Kopf hinwegrollen. Das strukturelle Hervortreten der chronologischen Zeit hat einen doppelten Sinn: Es ist Struktur des Ablaufs und gleichzeitig Mittel der dialektischen Gegenüberstellung von Individuum und Welt: «Dort [in *Biografie*] verwende ich die Weltgeschichte wie einen Kalender. Also wie eine optische Uhr, damit wir wissen, das war dann: Sturz von Chrustschow. Als Kalender, weil dieses Stück in einer Privatwelt spielt, und wir wollen uns nicht so weit einlassen in dieses Privatleben [...] und können auch nicht. Aber wir wissen: ‹Ach, das war also vor dem Aufstand in Ungarn.› Das sind sozusagen die kollektiv verbindlichen Daten, gegenüber dem Datum, an dem er diese Dame Antoinette kennenlernte [...] Das geht uns nichts an, wogegen die weltgeschichtlichen Daten objektiviert sind. Und so brauche ich sie einfach als Raster, als Kalender. Auch noch aus einem anderen Grund, um nicht sehr unkorrekt zu sein: Um die geringe Relevanz eines privaten Lebens gegenüber den Ereignissen der Zeit auszuspielen, also zu zeigen, was uns allen passiert: Was hat Ihr Problem zu tun mit dem, was wirklich geschieht? Wobei ich nicht meine, daß Ihr Problem deswegen aufgehoben ist, denn Sie haben sich damit zu befassen, aber die Welt interessiert es nicht. Dieser Zwiespalt, diese Unüberbrückbarkeit von dem, was für Sie wichtig ist und was für die Welt wichtig ist. Was für die Welt wichtig ist, ist es auch für Sie, aber ich komme immer mit dem einfachen Beispiel: Wenn jemand, der für das Ende des Vietnamkrieges ist, heute erfahren würde: Rückzug findet statt, sie schiffen sich ein; gleichzeitig vom Arzt die Nachricht: Krebsverdacht, so würde ich es diesem Mann nicht übelnehmen, wenn ihn das letztere im Augenblick stärker interessiert.» (*I.* 9/M)

Gleich am Anfang des Stücks findet sich ein Symbol, das wir aus der *Chinesischen Mauer* bereits kennen: Dort drehen sich die historischen Gestalten, archetypische Sinnbilder unseres kollektiven Bewußtseins, «wie Figuren einer Spieluhr». Antoinette bleibt in der Wohnung des Professors zurück, angeblich um nochmals die alte Spieluhr zu hören: «Spieluhren faszinieren mich: Figuren, die immer die gleichen Gesten machen, sobald es klimpert, und immer ist es dieselbe Walze, trotzdem ist man gespannt jedesmal. Sie nicht?» (*Stücke* 700) Die Verbindlichkeit dieser Symbolik für das ganze Stück wird durch die Worte Antoinettes, die Erklärung, Warnung und Aufforderung zugleich enthalten, offenbar. Gerade der Verhaltensforscher Kürmann sollte es wissen: «Die Zeit verändert uns nicht. Sie entfaltet uns bloß.» Die Spieluhr wird zum Sinnbild für die *comédie humaine*.

Frisch selber zeigt sich über seinen Versuch, mit dem Stück *Biografie* die verhängnisvolle Mehrdeutigkeit der Parabelform zu überwinden, nicht restlos befriedigt. *Biografie* als mediumsgerechte Variante des *Gantenbein*-Spiegelspiels, der Versuch, durch die offene Probensituation auf der Bühne von vornherein die Illusion aufzuheben, der Zuschauer nehme als Voyeur an einer Realität teil, zeigt neue Probleme des Einbaus von reiner Fiktionalität in das Bewußtsein des Publikums: «... sobald gespielt wird in dieser psychologischen Art, wie sie natürlich auch im Stück drin ist, entsteht im Dialog immer wieder die Illusion: Jetzt wohnen wir der Sache bei, oder besser gesagt, die Illusion besteht nicht, sondern das peinliche Gefühl, die Vorstellung wolle von mir, daß ich in diese Illusion einsteige, und die gelingt mir natürlich nicht [...] Die Spielstruktur hat mich doch interessiert, wie wenn wir eine Schachpartie zurückspielen. Und ich habe darum so einen trivialen oder sagen wir mal durchschnittlichen Stoff gewählt, eine Biographie, die mich selber nicht interessiert, die durchschnittlich ist, die nicht einen Verbrecher zum Gegenstand hat, nicht einen ungeheuer armen Menschen oder einen wichtigen Menschen. Der Inhalt hat mich nicht interessiert, sondern die Struktur. Dadurch, daß nun auf der Bühne Illusion entsteht, phasenweise, verschwindet die Struktur, und der Inhalt tritt hervor, und der Inhalt ist dann miefig; der interessiert mich nicht: ob der jetzt die Antoinette hat oder nicht hat, interessiert mich ja nicht, und das ging also für mich schief. Es ist nicht das geworden, was ich meinte. Die Bühne gab mir nicht recht. Die Bühne hat eine viel größere illusionistische Kraft, als ich's haben möchte. Man müßte also, um weiterzugehen – aber ich weiß noch nicht, wie ich weitergehe –, man müßte noch viel radikaler von allen [...] natürlichen Inhaltlichkeiten abweichen oder von allen Darstellungsarten, die noch irgendwie in der Nähe von Imitation sind.» (*I.* 3)

Ein «Ausweg», der der Anforderung der «radikalen Abweichung von allen natürlichen Inhaltlichkeiten» entspricht, scheint sich etwa mit dem absurden Theater anzubieten. Doch zeigt die vehemente Ablehnung, die Frisch der Theaterauffassung etwa eines Ionesco entgegenbringt, daß diese Idee von ihm erwogen und verworfen worden ist. Die Gründe dafür liegen einmal mehr bei dem am Tagebuch geschulten Realismusbegriff, der, mit dem Ethos der Wahrhaftigkeit gekoppelt, das Ausbrechen in die «apokalyptische Gartenlaube» als sinnlos erscheinen läßt. Frischs Kritik an Ionescos Aufhebung des Sinnzusammenhanges läßt sich kontrapunktisch zu seiner Kritik am dokumentarischen Theater verstehen. Geht diesem Beweisverfahren die Authentizität des Dokuments durch die erkennbare Gegenwirklichkeit der Bühne verloren, so entsteht beim absurden Theater eine vergnüglich unverbindliche Welt, in der sich der Zuschauer nicht mehr zurechtzufinden braucht. «Je absurder es auf der Bühne zugeht, um so natürlicher erscheint uns die Wirklichkeit, was natürlich ein Vergnügen ist; man braucht sich mit der Wirklichkeit beispielsweise unserer politischen Verhältnisse gar nicht zu befassen. Wenn ich Diktator wäre, würde ich nur Ionesco spielen lassen.» (*Bienek* 34)

Becketts absurdes Theater wird dagegen von Frisch geschätzt, aber ebensowenig als eigene Möglichkeit akzeptiert wie das groteske Theater Dürrenmatts. Hier wie dort liegt der Denkansatz anders. Eine zentralistisch-theologische Weltschau ist für den Diaristen Frisch unmöglich, auch wenn die Mitte von den zwei genannten Dramatikern geleugnet wird. Frisch zeigt sich vom Theater enttäuscht. Diese Enttäuschung bezieht sich allerdings nicht auf die Institution, sondern auf den sich durch die Magie der Institution selbst herstellenden Illusionismus, den zu durchbrechen Frisch noch nicht restlos gelungen ist. Von der Romanze *Santa Cruz* führt ein weiter Entwicklungsweg zur *Biografie*. Die paradoxe Lehre, die sich aus dieser Entwicklung ziehen läßt, lautet dahin, daß der Naturalismus des spielenden Menschen auf der Bühne den Wirklichkeitsbezug des Spiels überdeckt. Die Verbindlichkeit des Bühnenrahmens steigert die Verhaltensübungen Hannes Kürmanns zum individuellen Schicksal. Das Ausdämmern in den Krebstod wirkt tragisch, trotz der Analyse des Registrators, der betont, in einigen Jahren wäre dieser Krankheit bei der gegenwärtigen Entwicklung der Krebsforschung der Stachel genommen, nur im Schnittpunkt von hier und jetzt sei dieser Tod unvermeidlich und werde deshalb als Fügung empfunden. Das teilweise Scheitern des *Biografie*-Versuchs bedeutet auch die Prädominanz der mimischen Sichtbarmachung über die Symbolkraft des Wortes. Bühneninkarnation kann durch Sprache nicht mehr aufgelöst oder gar rückgängig gemacht werden. In der letzten Szene dekliniert Kürmann symbolisch das Wort «specchio». Es liegt im Wesen dieses Stücks, daß er nicht nur wie Gantenbein sein Verhalten von allen Seiten spiegelt, sondern dabei unfreiwillig, weil das Ganze auf der Bühne geschieht, auch dem Zuschauer einen Spiegel vorhält, in dem dieser sein Einzelschicksal zu erkennen vermeint.

Der Wirklichkeitsbezug des sprachlichen Symbols kann offenbar nur dann deutlich werden, wenn auch der spielende Mensch durch ein Symbol ersetzt wird. Es wäre – besonders im Hinblick auf Frischs Interesse für die Marionetten – durchaus möglich, daß das nächste Spiel von lebensgroßen Puppen gespielt würde. Damit schlösse sich der Bogen zu Marion, der Ausgangsfigur des *Tagebuchs 1946–1949*.

6. *Tagebuch 1966–1971:* Öffentlichkeit als Partner

Der Selbsterfahrung des Tagebuchschreibers aus dem Nachvollzug seines Bewußtseinsstroms liegt die existentielle Erkenntnis der Vergängnis zugrunde. Schon der junge Verfasser der *Blätter aus dem Brotsack* sieht im Herbst, der Jahres-
zeit der Übergänge, die Offenbarung durch den Abschied. Im
Tagebuch 1946–1949 findet die Permutation der Augenblicks-
erfahrung ihren Ausdruck im Bildnisverbot als Voraussetzung
der Identitätsfindung. Das Gebot der ideologiefreien offenen
Frage deckt sich mit der Wahl der fragmentarischen Skizze.
Müßte für das *Tagebuch 1946–1949* ein leitmotivisches Thema
bestimmt werden, so wäre es zweifellos die Identitätssuche
als Aufbruch, als Aufgabe, nicht als Ziel. Das Schreibrecht,
so legt es bekanntlich der Autor des ersten Tagebuchs fest,
besteht nur in seiner Zeitgenossenschaft, nicht in seiner Person. Doch aus dem Dreiklang der diaristischen Bewußt-
werdung – Erlebnis, Reflexion und bewußte Fiktion – dichtet
sich der Umriß einer Identität als Ahnung eines Seins. Dieser
Prozeß ist dem Leser als Zielsetzung und Vorgang, nicht aber
als Ergebnis erkennbar. Das Persönliche, nicht das Private
rechtfertigt das Schreiben in der Ich-Form[92].

Bezeichnenderweise ist auch im *Tagebuch 1966–1971* ein
Abschnitt der theoretischen Auseinandersetzung mit dem
Schreiben in der Ich-Form gewidmet. Ein Vergleich mit der
im *Tagebuch 1946–1949* enthaltenen Rechtfertigung für das
Führen eines Tagebuches ist reizvoll, zeigt er uns doch, von
der Sicht des Autors gesehen, Retuschen und anderseits die
grundsätzliche Bestätigung der Bewährung seiner seinerzeit
entdeckten Kunstform des Tagebuchs. Noch einmal nimmt
der Autor Stellung zu möglichen Einwänden von seiten der
Literaturwissenschaft und zu ständigen Mißverständnissen beim
Leserpublikum, indem er die Vorzüge der Ich-Form gegenüber der Er-Form abwägt, die Relevanz persönlicher An-
schauungen untersucht, die Fragen der Privatsphäre und der
Indiskretion streift und das Problem der Darstellung der Zeitgenossen im Tagebuch erläutert[93].

Als Beispiel für einen Erlebnisbericht in Er-Form nennt er
Norman Mailers *Heere der Nacht:* «Das Verfahren gibt dem

Schreiber unter anderem die Freiheit, auch noch die Selbst-
gefälligkeit zu objektivieren. Das leistet die direkte ICH-Form
nicht, die, wenn sie dasselbe lieferte, einen Zug von Maso-
chismus hätte.» (*T. II* 308) Vergleicht man etwa Frischs Darstellungen von amerikanischen Erlebnissen mit Mailers Bericht
über seine Teilnahme an einer Pentagon-Demonstration, so
gehen einem die Gründe auf, die Frisch bewogen, in der
diaristischen Ich-Form darzustellen. Die totale Fiktionalität
jeder sprachlichen Aussage, von der er ausgeht, die Einsicht,
daß jedes Ich, das sich ausspricht, eine Rolle ist, entlarvt
den Versuch, in der Er-Form zu größerer Distanz und Objektivität zu gelangen, als Selbsttäuschung und Spiegelfechterei:
«Im Anfang ist es leichter mit der ER-Form als später, wenn
die bewußten oder unbewußten Ich-Depots in mannigfaltiger
ER-Form notorisch geworden sind; nicht weil der Schriftsteller sich als Person wichtiger nimmt, aber weil die Tarnung
verbraucht ist, kann er sich später zur blanken ICH-Form
genötigt sehen.» (*T. II* 310) Außerdem geht es Frisch darum,
den Unterschied zwischen dem fiktiven Ich einer Erzählung
und dem erzählenden Ich im literarischen Tagebuch deutlich
zu machen. Gerade im Falle des diaristischen Ichs, so erweist es sich, verschwindet die Persönlichkeit, die erkennbare Figur des Autors, wenn das Tagebuch als bewußte Kunstform konsequent durchgehalten wird: «Unterschied zwischen
dem erzählerischen ICH und dem direkten ICH eines Tagebuches: das letztere ist weniger nachvollziehbar, gerade, weil
es zu vieles verschweigt von seinen Voraussetzungen. Dadurch eine Zumutung: – keine Figur; nämlich zu einer Figur
gehört auch, was sie verhehlt, was sie selber im Augenblick
nicht interessiert, was ihr nicht bewußt ist usw.» (*T. II* 310)
   In diesem Sinne gelangt Frisch zur Einsicht, daß – entgegen allgemeiner Auffassung – die Er-Form eine größere
Chance zur intimen Selbstdarstellung biete: «Im Sinn der
Beicht-Literatur (maximale Aufrichtigkeit gegenüber sich
selbst) vermag die ER-Form mehr.» (*T. II* 310) Dadurch, daß
im Tagebuch nicht die eigene Person in die Erfahrungswelt
gestellt und literarisch betrachtet wird, sondern nur das Bewußtsein dieses Gestelltseins, ergibt sich für die diaristische
Ich-Position auch nicht die Situation des Ichs als Rolle. Frisch

erinnert an «unverblümte ICH-Schreiber» wie Henry Miller und Witold Gombrowicz, die er als eine Art von *vivisecteurs* am eigenen Leibe[94] sieht und bei deren Position – für ihn selber vollkommen unmöglich – er das offen Rollenhafte als Rechtfertigung solchen Tuns anerkennt: «Schreiber solcher Art wirken eher unschuldig, die dichten am eignen Leib und leben ihre Dichtung auf Schritt und Tritt, und kaum je entsteht der peinliche Eindruck, daß sie Privat-Intimes auskramen; sie sind eben ihr literarisches Objekt, ihre Figur, daher gibt es keine Eitelkeit zu verbergen, sie gehört zur Figur mit allem andern.» (*T.II* 310)

Die Ansicht, daß die Er-Position eine bescheidenere sei als die Ich-Position, wird von Frisch als Irrtum bezeichnet. Gerade die Er-Form, so meint er, könnte die Tarnung für ein übersteigertes Ich-Bewußtsein darstellen. Anstatt ehrlicher Bescheidenheit könne die Er-Form unter Umständen das genaue Gegenteil bedeuten. Die Ich-Form empfehle sich deshalb vielleicht gerade bei Ich-Befangenheit. «... sie ist die strengere Kontrolle. Man könnte, um der Kontrolle willen, in der ICH-Form schreiben, dann in die ER-Form übertragen, um sicher zu sein, daß die letztere nicht nur eine Tarnung ist – aber dann gibt es Sätze, die nur in der ICH-Form ihre Objektivität gewinnen, wogegen sie, Wort für Wort in die arglose ER-Form übersetzt, eben feige wirken; der Schreiber überwindet sich nicht in der ER-Form, er kneift nur.» (*T.II* 308/09)

Selbst nach dem Beispiel des *Tagebuchs 1946–1949* scheint es Frisch angezeigt, noch einmal gegen den gängigen Irrtum ins Feld zu ziehen, ein literarisches, ein öffentliches Tagebuch habe Dokumentarwert in bezug auf das Privatleben des Autors. Wir haben den Unterschied zwischen dem Persönlichen und dem Privaten im literarischen Tagebuch ausführlich besprochen. Im *Tagebuch 1966–1971* macht Frisch seine Ansicht von der Relevanz persönlicher Angaben noch einmal deutlich: «Meine ich, daß mein Befinden (wie ich heute erwacht bin usw.) von öffentlichem Interesse sei? Trotzdem notiere ich es ab und zu und veröffentliche es sogar. Das Tagebuch als Übung im eignen Befinden bei vollem Bewußtsein, was dran irrelevant ist –» (*T.II* 309) Wir erinnern uns an die *Biografie*-Situation. Wenn der Zuschauer in jenem Stück – wie Frisch es rügt – das Befinden, die privaten Umstände des Protagonisten für wesentlich erachtet, weil der Illusionismus der Bühne ihn dazu veranlaßt, sich mit dem privaten Schicksal Kürmanns, vielleicht gerade weil es so banal ist und damit nach allen Seiten dehnbar, zu identifizieren, so gerät er damit außerhalb des eigentlichen Anliegens des Autors, dem es darum geht, die Mechanismen eines Bewußtseins aufzuzeigen. Ziel ist eine Dramaturgie des Zufalls, die die retrospektive fatalistische Geschichtsklitterung überwinden will. Um ähnliche Zusammenhänge geht es im Tagebuch. Wenn der Autor auf sein Befinden hinweist, so nicht, um auf die Verbindlichkeit seiner Geschichte für den Leser hinzudeuten, sondern weil diese Zustandsschilderung eine literarische Funktion im Ganzen zu erfüllen hat, was sich leicht nachweisen läßt. Wir erinnern uns an den großartigen Anfang von Musils *Mann ohne Eigenschaften:* Geschildert wird eine meteorologische Konstellation über Mitteleuropa, eine Situation also, die genau so flüchtig und für die Nachgeborenen ebenso irrelevant ist wie das Befinden eines Titelhelden, die aber die Perspektive liefert, Ausgangspunkt für eine Anschauung, die sich nicht um eine Lebensgeschichte, sondern um das Bewußtsein von ihr bemüht. Dem Ich des literarischen Tagebuchs entspricht die Metapher vom Mann ohne Eigenschaften: Es ist kaum nachzuvollziehen, es ist «eine Zumutung – keine Figur».

Dem Angriff auf die traditionelle «fatalistische» Dramaturgie, auf das chronologische Zeitschema und die überlieferten Metaphern entspricht Frischs Aufklärungsarbeit mit dem verdorbenen literarischen Bewußtsein seiner Leser, die ihren Anfang in der These von der Rolle des sich aussprechenden Ichs und der naiven Buchstabengläubigkeit des Publikums findet. Frisch zeigt, daß einer der wesentlichen Wege zur Erkenntnis der Wirklichkeit in der radikalen Sprachskepsis zu sehen ist. Es ist die Aufgabe des Schriftstellers, so meint Frisch, «indiskret» zu sein, wobei er diesem Begriff im sprachlichen Bereich eine neue Bedeutung zuteilen will: «Was man gemeinhin als Indiskretion bezeichnet: Mitteilungen aus dem privaten Bezirk des Schreibers, die den Leser nichts angehen. Und was die eigentliche Indiskretion ist: wenn einer mitteilt, was den Leser etwas angeht und was der Leser selbst weiß, aber seinerseits nie ausspricht –» Frischs literarisches Werk ist in hohem Maße «indiskret». Gerade weil er die Darstellung des Bewußtseins als Grundlage seiner Wirklichkeitserfahrung wählt, trifft er den Nerv einer kollektiven Bewußtseinsdimension, die uns zu einer Art Mitverschwörern, nicht in bezug auf das dargestellte Erlebnis, sondern auf die dazu passende Bewußtseinslage, macht. Wir glauben den Autor intim zu kennen, während er uns nur den sprachlichen Spiegel unserer eigenen Erfahrungsmöglichkeiten vorhält: «Daß der Leser trotzdem Autobiographie vermutet, gerade dort, wo Erfahrung sich in Erfindung umsetzt, verhindert auch die ER-Form nicht.» (T. II 309)

Der Aufbruch zur Identitätssuche, im *Tagebuch 1946–1949* als jugendlich-gläubige Fanfare gespielt, findet seine thematische Entsprechung im *Tagebuch 1966–1971* im Motiv des Alterns. Das Phänomen der Vergängnis findet sich schon beim jungen Autor, wird von ihm akzeptiert und aufgezeigt als Grundklang, der unser Dasein dichtet. Wo die Bestrebungen des jungen Diaristen auf die Sichtbarmachung der Umrisse der eigenen Identität hinzielen, sieht der ältere Tagebuchschreiber eben diese Umrisse als Erfahrung der Vergängnis verblassen. Dem thematischen Leitmotiv «Du sollst dir kein Bildnis machen» entspricht kontrapunktisch das Montaigne-Wort: «So löse ich mich auf und komme mir abhanden.» Die funktionellen Entwürfe des ersten Tagebuchs, in denen sich die Erfahrung des Bildnisverbots erzählerisch niederschlug, finden im neuen Tagebuch ihre genaue Entsprechung in den skizzenhaften Darstellungen von Menschen, denen das Zentrum ihrer Identität entgleitet. Bei aller funktionellen Übereinstimmung der Erzählskizzen in den beiden Diarien zeigt sich dennoch ein deutlicher Unterschied. Die Entwürfe des jugendlichen Tagebuchs drängen hinaus zur permutablen Gestaltung, zum diaristischen Spiel mit der Summe aller Möglichkeiten. Die Skizzen des Alterstagebuchs hingegen, in wenigen Meisterstrichen hingeworfen, bedürfen des Aufbruchs nicht mehr. Sie zeugen von der Reduktion durch Erfahrung, deren Variationsmöglichkeiten sich ständig verringern auf die Möglichkeit zu, die keine Varianten mehr zuläßt. War die künstlerische Forderung nach dem Fragmentarischen vorher noch Gebot, sich vom Bildniszwang zu befreien, so wird das Fragment nun zum eigentlichen Seinsgleichnis. In ihm finden sich Form und Ausdruck im Gleichklang einer unvollendbaren Symphonie.

Altern als individuelle Erfahrung wird an Hand von Erzählskizzen variiert, die den Auflösungsprozeß der Identität an Hand von Modellen darstellen. Der Gefahr des melancholischen Selbstmitleids entgeht Frisch dadurch, daß er neben den individuellen auch die gesellschaftlichen Auswirkungen des Alterns präsentiert. Altern, als gesellschaftliches Problem formuliert, heißt Überalterung. Zeitgenossentum als Schreibrecht des Diaristen heißt Auseinandersetzung mit dem Bewußtsein, auf der unerwünschten Seite einer sich beständig verschlimmernden Statistik der Überalterung zu stehen. (Diese Statistik ist denn auch tatsächlich am Anfang des *Tagebuchs 1966–1971* zu finden.) Das Resultat besteht in einem Dialog mit der Öffentlichkeit als Partner, der auch als dialektische Auseinandersetzung mit den Nachgeborenen erscheint. Die unerbittliche Konsequenz eines Denkens, das sich dem diaristischen Prinzip der Wahrhaftigkeit unterstellt hat, findet ihren spielerischen Ausdruck in der Erfindung eines exklusiven Selbstmörderklubs «zur Verjüngung der abendländischen Gesellschaft», dessen Mitglieder durch ihr Beispiel nicht nur das persönliche Verhängnis des Alterns zeigen, sondern auch das gesellschaftliche der Verwaltung von Macht durch Senilität. Hinter diesem ironisch-makabren Bewußtseinsmodell Frischs steht das blanke Entsetzen vor der Ohnmacht gegenüber der sich vollziehenden Vergängnis, die sich sowohl persönlich-biologisch als auch gesellschaftlich-statistisch auf das Schachmatt, auf den Ausschluß aller Varianten, zu bewegt.

Das *Tagebuch 1966–1971* beginnt ungewöhnlich: Wir finden einen «Fragebogen», dessen erste Frage bezeichnenderweise lautet: «Sind Sie sicher, daß Sie die Erhaltung des Menschengeschlechts, wenn Sie und alle Ihre Bekannten nicht mehr sind, wirklich interessiert?» Die offenen Fragen sind an die Stelle der essayistischen Antworten, wie wir sie aus dem *Tagebuch 1946–1949* kennen, getreten. Es sind Fragen, die provozieren, beunruhigen, uns die Fragwürdigkeit unserer genormten, vorfabrizierten Antworten vorhalten; es sind sokratische Fragen. Beim sorgfältigen Durchlesen der Fragebogen (es sind im ganzen zehn) ergibt es sich, daß die Fragen immer um einen bestimmten Problemkreis arrangiert sind. Leicht ließe sich über jedem Fragebogen ein Titel denken: *Lebenslauf* etwa für den ersten; für spätere *Liebe, Ehe, Dankbarkeit, Hoffnung* usw. Was in den Essays des ersten Tagebuchs zur gebrauchsfertigen Antwort wurde, wenn auch undogmatisch und vorläufig formuliert, bleibt im *Tagebuch 1966–1971* in der hinterhältigen Frage stecken. Frischs Fragebogen leisten das Gegenteil von dem, was behördliche anstreben: Sie versuchen nicht, den Befragten festzulegen, ihn zu erfassen in einem vorgezeichneten System. Indem sich die Fragen bewußt außerhalb eines betimmten Ordnungs- und Denkschemas stellen, laden sie den Befragten ein, ein Gleiches zu tun; sie entlassen ihn in die freie Reflexion.

In sokratischen Dialogen, die von der Form her an Brechts dialektische *Flüchtlingsgespräche* erinnern, befassen sich zwei imaginäre Partner, A. und B. genannt, die indessen ein gemeinsames Bewußtsein teilen, mit Fragen der Polis: Gewalt und Gegengewalt, Recht und Staatsraison, Krieg und Geschäft werden in Form von Verhören behandelt, wobei die Position B. sich verteidigen muß. Durch die vier Verhöre erleben wir die direkte Konfrontation zwischen Individuum und Macht, Einzelbürger und Staatsraison, Geist und Gesetzesparagraphen, Freiheit und Notwendigkeit. Frisch zeigt sich offensichtlich fasziniert vom immer wiederkehrenden Phänomen, daß diese Hearings genau das Gegenteil von dem leisten, was sie ihrer Anlage nach eigentlich hätten erbringen sollen. Anstatt die Schuld des Einvernommenen gegenüber der durch den Staat vertretenen Öffentlichkeit zu erweisen, heben sie unversehens den Vorhang vor der nackten Bühne der Macht, deren Kulissen, Mechanismen, Drähte und Falltüren plötzlich sichtbar werden. Der einzelne sieht sich einer anonymen Maschinerie gegenüber, die vorgibt, seine Freiheit und seine Interessen zu verteidigen. Unversehens wechseln die Rollen: Die Verteidigung des einzelnen wird zur Anklage gegen die Absurdität dieses Anspruchs.

148

Frisch wählt fiktive Hearings, um auch der Staatsraison die Möglichkeit einzuräumen, intelligent zu argumentieren. Die Hearings laufen denn auch nicht auf Verurteilung oder Freispruch hinaus, sondern auf die offene Frage. Der Triumph der Position B. besteht eben darin, durch das Offenhalten der Frage den Kampf gegen die starren Fronten der Abstraktionen – in diesem Fall der fraglos gewordenen paragraphierten Bürgerrechte – zu führen. Karl Schmid hat Frischs Auflehnung als Rebellion gegen «ein hermetisches Modell des unschöpferischen Pharisäertums[95]» bezeichnet. Die «Verhöre» hängen denn auch nie in der Luft, indem sie sich in staatsphilosophischen Allgemeinheiten ergehen. Im Rahmen des Tagebuchs haben die Ereignisse Datum, Schauplatz, historischen Schwerpunkt, haben die Akteure Namen, Anschrift und Gesicht. Schon in der Büchner-Rede hat Frisch gesagt, er sei Schweizer und begehre nichts anderes zu sein, und im *Tagebuch 1946–1949* macht er deutlich, daß er das politische garstige Lied als Ausdruck schweizerischer Kulturleistung hoch in Ehren halten will:

Unter Kultur verstehen wir wohl in erster Linie die staatsbürgerlichen Leistungen, die gemeinschaftliche Haltung mehr als das künstlerische oder wissenschaftliche Meisterwerk eines einzelnen Staatsbürgers. Auch wenn es für den schweizerischen Künstler oft eine trockene Luft ist, was ihn in seiner Heimat umgibt, so ist dieses Übel, wie sehr es uns persönlich trifft, doch nur die leidige Kehrseite einer Haltung, die, von den meisten Deutschen als spießig verachtet, als Ganzes unsere volle Bejahung hat – eben weil die gegenseitige Haltung, die ästhetische Kultur, zu einer tödlichen Katastrophe geführt hat, führen muß. (*T.* 328/29)

Das *Tagebuch 1966–1971* ist über weite Strecken eine politische Auseinandersetzung. Dabei muß noch einmal in aller Deutlichkeit darauf verwiesen werden, wie falsch es ist, diesen Schriftsteller in die Kategorie der Engagierten im Sinne Sartres zu stellen. Politik ist für Frisch nicht Weltanschauung, auch nicht Lob des Herkommens oder gar enger Nationalismus, sondern kultureller Dialog: «Man ist jetzt also nicht irgendwo vom Himmel gefallen, sondern geboren, und so macht man seine Erfahrungen, als Kind Schulerfahrungen, und alles andere, und damit muß ich arbeiten, und die kann ich nicht, selbst wenn ich wollte, auswechseln. Beispielsweise in den Vereinigten Staaten, einem Land, das mich sehr interessiert: darüber kann ich vieles nicht schreiben. Ich bin hier nicht in die Schule gegangen, ich bin hier nicht arm gewesen, hab' hier nicht meine Pubertät gehabt. Das kann ich ja alles nur sehen, aber man ist gebunden, vor allem als erzählender Autor, als Dramatiker viel weniger, als Lyriker viel weniger [...] an das Erfahrungsmaterial, das man hat. Nun passiert es einfach, daß ich das in der Schweiz hab', und daraus gibt sich eine Bindung, gegen die man kritisch protestieren kann, aber die dadurch nicht aufgelöst ist.» (*I.* 10/11)

Das «Bekenntnis zum eingeschränkten Horizont» ist ein Fundament, auf dem der Tagebuchschreiber baut. Dieses Bekenntnis macht ihn zum «Tendenzschriftsteller»: «Tendenz als eine Deutung der Verhältnisse, die der Deutung, welche der Leser hat, nicht entspricht und somit eine ‹Entstellung› genannt werden muß, somit nicht als reine Dichtung bezeichnet werden kann – denn von reiner Dichtung sprechen wir erst dort, wo die Tendenz uns als solche nicht mehr bewußt ist, wo die Deutung, die ja immer vorhanden ist, sich mit der unseren deckt, indem sie die unsere geworden ist, und wo wir zu jenem reinen Genuß kommen, der darin besteht, daß ich meine Ansicht als die einzigmögliche, die wahre, die absolute sehe ...

Die Heidenangst, ein Spießer zu sein, und das Mißverständnis, das darin schon enthalten ist, die Bemühtheit, sich in den Sphären des Ewigen anzusiedeln, um auf der Erde nicht verantwortlich zu sein, die tausend Unarten voreiliger Metaphysik – ob das für die Kultur nicht gefährlicher ist als alle Spießer zusammen?» (*T.* 329/30)

Frischs Bekenntnis zur Schweiz ist also nicht Bekenntnis zu einer «geistigen Heimat», sondern zu einer natürlichen, unausweichlichen Gebundenheit. Sein Schweizertum ist ebenso weit entfernt von engem Nationalismus wie dasjenige Gottfried Kellers, der wie Frisch in seinem Land die endliche Wirklichkeit der menschlichen Gemeinschaft[96] in der zufälligen Gegebenheit einer politischen Heimat gesehen und sie ausgeweitet hat in eine geistige Gegenrealität mit tönender Grenze. Im Gegensatz zu Keller etwa hat Frisch die Schweiz im allgemeinen nicht als Anschauungsterritorium benutzt, am ehesten noch im *Stiller.* Der Schweiz verdankt er lediglich die Formung seines Bewußtseins, einer Perspektive der Kultur, die aus den Gegebenheiten seines Landes als Kultur der Gemeinschaftlichkeit, als politische Kultur erfahrbar wird, und ein Sprachbewußtsein, dessen Glück in der Erfahrung der Spannung zwischen Mundart und Schriftsprache liegt. Die Erfahrung Schweiz schwingt mit, auch wenn das Tagebucherlebnis fern von jenem Land stattfindet. Die Schweiz wird dann nicht Maßstab des Vergleichs, nicht Vorbild, an dem andere Gegebenheiten zu messen sind, aber auch nicht das Gegenteil, vergraste Phäakenprovinz, die vor dem großen Geschehen zum Disneyland der Weltgeschichte wird. Schweiz heißt eine mögliche Erfahrung, und der Tagebuchschreiber Frisch sieht es als seine Aufgabe an, zu zeigen, daß sie nicht die einzig mögliche ist, auch wenn er selber daran gebunden ist. «Es ist eine alte Einsicht, daher nicht weiter auszuführen», sagt Frisch in seiner Büchner-Rede, «daß Weltliteratur nie entsteht aus Flucht vor der eignen Art, sondern aus Darstellung der eignen Art. Man kann den Menschen nur darstellen, wo man ihn erfahren hat. Aber genügt Erfahrung? Man müßte auch noch den Wirtschaftswundermenschen, fürchte ich, akzeptieren können; denn mit bloßer Satire ist wenig getan – zum Dichter werden wir nicht daran ... Und vor allem: Satire macht uns nicht vaterlandslos! Mit anderen Worten: Wenn also Vaterlandslosigkeit erwogen wird als etwas, dem unser Engagement gilt, so meine ich keineswegs die Desavouierung des eigenen Menschenschlags, im Gegenteil, sondern die Freiheit gegenüber dem eignen Menschenschlag, indem wir ihn in seiner Realität einmal akzeptieren[97].»

Tagebuchschreiben in diesem Sinne führt zu einer aufklärerischen Toleranz ohne ideologischen Unterbau. Durch die Darstellung eines möglichen Bewußtseins von der Welt, in dem sich die geistige Not des einzelnen angesichts der Fronten der Abstraktion, sein Gefühl der Ohnmacht ausdrücken, erweist sich die Mission des Schreibenden in dieser Zeit. Er schreibt nicht über Politik schlechthin, auch nicht für eine bestimmte Politik, sondern für eine Realität, die erst jenseits der Politik beginnt.

Wenn der Diarist sich an seine Begegnung mit Henry Kissinger erinnert, so wächst die Darstellung nicht zu einer

Allegorie der Macht, sondern zum Alptraum von «gepolsterter Kleinbürgerlichkeit», die im schärfsten Gegensatz zu dem steht, was die Täter der Macht draußen anrichten. Hannah Arendt hat im Zusammenhang mit dem Eichmann-Prozeß von der «Banalität des Bösen» gesprochen. Frisch zeigt uns die Banalität der Macht, die nicht einmal wie früher den Versuch macht, nach außen imposant zu wirken: «Keine Spur von Reichskanzlei. Es könnte das Wartezimmer eines Zahnarztes sein ...» (*T. II* 293) Corporate Society. Administration. «Alltag bei der Weltmacht –» Collageartig baut Frisch in die Reminiszenzen von einem Mittagessen mit Henry Kissinger im Weißen Haus einzelne Tagebuchfragmente ein, Erinnerungen an Selbsterlebtes, das im schärfsten Gegensatz steht zur Atmosphäre des Machtzentrums der westlichen Welt: Fernsehbilder über den Krieg in Indochina, Rassenkrawalle, Demonstrationen, Präsidentenreden und daneben zivilisiertes Gespräch mit einem urbanen, gebildeten Menschen, einem Fachmann, der alles erklären und mit statistischen Zahlen belegen kann; Unsägliches als Auswirkung der Macht, und hier: «Das Restaurant im Weißen Haus: traulich-gediegen wie eine Zunftstube, Gemütlichkeit in dunklem Holz, man könnte sich am Bodensee befinden. Hier kein Photo von Nixon, dafür vier Ölgemälde von alten Schiffen; drei davon in Seenot ... «The President is calling» ... Ich esse Fruchtsalat, wo Millionen amerikanischer Bürger nicht zum Wort kommen. Was ist komisch daran? Ein Gastgeber unter täglicher Morddrohung; er zeigt keine Angst, auch keine Empörung darüber. Berufsrisiko. Vielleicht schmeichelt es ihm sogar; es erinnert etwas an Cäsar. Was sie jetzt am Telefon wohl sprechen? Ich stelle mir vor: Henry A. Kissinger, die rechte Hand in der Hosentasche, stehend, während wir Fruchtsalat essen. Ich überlege, warum ich einem Mann, der unter Morddrohung steht, ungern widerspreche: als schütze es ihn, wenn ich schweige, was immer er sagt. ‹Intellectuals are cynical and cynicals have never built a cathedral.› So denken auch Männer in unseren Behörden; es paßt zu dieser bräunlichen Zunftstube.» (*T. II* 298)

Im *Tagebuch 1946–1949* fand sich der Tagebuchschreiber in der Lage des Beobachters. Eben war der zweite Weltkrieg zu Ende gegangen, die Grenzen öffneten sich. Deutschland, der drohende Nachbar seit zwölf Jahren, konnte neu entdeckt werden, Reisen wurden möglich, nach Italien, nach Berlin, nach Warschau. Gerade beim Anblick der unermeßlichen Katastrophe, der Ungeheuerlichkeit des Geschehenen bewährte sich der diaristische Grundsatz, nicht von der Sache selbst, sondern vom eigenen Bewußtsein von der Sache zu schreiben. Es gelingt dem Tagebuchschreiber, zu meistern, was nur wenigen Schriftstellern der damaligen Zeit gelang, eine Darstellung, die nicht an Trümmern hängen blieb, aber auch nicht in einer damals so naheliegenden moralistischen Geschichtsphilosophie; eine Darstellung, die gerade weil sie nichts anderes wollte als die sprachliche Erfassung des Bewußtseins vom Unfaßbaren, zur überragenden Dokumentation einer Zeit geriet, die in der Distanz von zweiundzwanzig Jahren bereits unwirklich geworden ist. Ein glänzendes Beispiel dafür findet sich im Erinnerungsband *Städte 1945*[98], in dem Frischs Beitrag, der letzte im Buch, in sachlicher Eindringlichkeit prägnant absticht von vielen teils neoexpressionistischen, teils nüchtern-dokumentarischen Prosaschilderungen von Autoren, die «dabeigewesen» waren. Frischs Tagebuchreminiszenzen über Berlin und Wien schließen bezeichnenderweise mit einer Betrachtung über den Begriff der Provinz. «Provinz ist ein geschichtlicher Ort, wo ein eigenes und zugleich welthaftes Geistesleben nicht möglich ist: Entweder ist es eigen, aber nicht welthaft, oder wenn es sich welthaft gibt, ist es nicht eigen. Wenn man es so nimmt, stellt sich zuweilen die Frage, ob nicht der deutsche Sprachraum, dem wir zugeboren sind, im Begriffe ist, Provinz zu werden, und zwar als Ganzes [...] Ein Gefühl, das sich jetzt bei jeder Heimkehr nicht nur wiederholt, sondern von Mal zu Mal verdichtet: das Gefühl von der Irrelevanz unserer schweizerischen Existenz[99].»

Frischs Gebundenheit an sein schweizerisches Herkommen ist nicht identisch mit «dem schweizerischen Standpunkt». Das Privileg der Verschontheit, das sich aus seiner Nationalität ergibt, verschafft ihm lediglich die für diaristisches Schreiben über Weltgeschehen vorteilhafte Situation, daß seine private Welt weder durch die ungeheure Traumatik eigener

Kriegserlebnisse noch durch den täglichen Meinungsterror eines totalitären Machtapparates verformt worden ist. Seine Situation ist deshalb freier, bequemer. Er hat mehr Spielraum zur Beobachtung, und er nutzt ihn in der diaristischen Absage an eine ideologische Deutung, die sich dem bedrängten Menschen als Hoffnungsanker anbietet. Die «kombattante Resignation» gegenüber erstarrten Staats- und Gesellschaftsdogmen mündet in die einzig mögliche dichterische Aufklärung, die Darstellung des lebendigen Menschen jenseits aller Denkmodelle.

Der gegenüber dem *Tagebuch 1946–1949* deutlich hervortretende politische Ton wird nicht nur von einem verstärkten Interesse am politischen Geschehen und die durch die Umstände gewonnenen neuen politischen Perspektiven des Autors getragen. Wo der junge Autor des *Tagebuchs 1946–1949* noch Politik von der Warte des zwar aufgerüttelten, aber doch versicherten schweizerischen Staatsbürgers empfand, rühren die politischen Verhöre des älteren Mannes an grundsätzliche Fragen des Rechtsstaates, indem sie die dogmatisch postulierte Rechtfertigung desselben, die Verbindung von Freiheit für den einzelnen mit der Gleichheit des Rechtsschutzes für alle als trügerische Illusion entlarven[100]. Die Stichhaltigkeit von Frischs Argumenten möge dahingestellt bleiben. Er vertritt eine Meinung, die er belegt, die er aber nicht zur Philosophie erheben will. Offensichtlich ist auch hier wieder die Provokation als Kunstmittel eingesetzt: Seine Meinung, die unorthodoxe, soll anregen, nicht beantworten. Für den Weltautor wäre es nicht weiter schwierig, seine eigene Prominenz als Politikum und seine Bekanntschaften und Freundschaften mit Figuren des öffentlichen Lebens als politisches Argument schlechthin in die Diskussion einzuführen. Frisch verzichtet darauf, und seine Erklärung liefert nicht nur die Überlegungen, die zu diesem Verzicht führten, sondern deuten auch darauf hin, warum der Autor mit zunehmender Berühmtheit die politische Öffentlichkeit in zunehmendem Maße aufsucht: Öffentlichkeit als Partner, nicht nur im Politischen, sondern auch im Künstlerischen, Partnerschaft als Austausch, Gegengewicht von Privatem und Öffentlichem zur Bewußtseinsharmonie des Ganzen.

Das alles gehört zum künstlerischen Schachspiel des Tagebuchs, zu den ironisch funkelnden Winkelzügen, den An-
griffen und Rückzügen, dem schöpferischen Ausprobieren,
der Lust am Wählen und Fallenlassen, der Ermüdung und
dem Neuanfang: vom «Ich stelle mir vor» bis zum «Alles
ist wie nie gewesen». Das Spiel, an dem wir teilnehmen,
in dem wir uns befinden, ist das Leben selbst, die Kunst
Frischs, die sich uns so menschlich annähert, ist eine höhere
Spielvariante unserer eigenen existentiellen Erfahrung.

Frischs Erzählkunst und sein schriftstellerischer Erfolg
gründen auf der diaristischen Entdeckung des Kollektiv-
bewußtseins. Von hier aus löst sich die Frage des Form-
prinzips der Wiederholung, des «radikal gleichen Themas»
im archetypischen Spiel des Menschlich-Allzumenschlichen, in
einer *comédie humaine,* in der über dem Grundthema des
kollektiven Bewußtseins die individuellen Variationen eines
schöpferisch gestaltenden Geistes erklingen. In der Beschränkung auf die Tagebuchwelt als Anschauungsmaterial, in der
Bescheidung auf die eigenen Bewußtseinsschwerpunkte aus
Ehrlichkeit ergibt sich die großartige Einseitigkeit bei über-
wältigender Vielfalt, die Frisch selber – wir erinnern uns an
das Gorki-Zitat – in die Reihe der bedeutendsten und
humansten Sprachverwalter unseres Jahrhunderts stellt.

Was am zweiten Tagebuch auffällt, ist das Fehlen der
paradigmatischen Fabeln, aus denen stoffartig-organisch später
die Romane und Stücke hervorgingen. Jene Fabeln im *Tagebuch 1946–1949* wirken in der Retrospektive wie Entwürfe
in die Zukunft, fiktionale Keimzellen, die gleichsam im
Schoße des Tagebuchs der Stunde ihrer literarischen Geburt
harren. Daß sie als Fabeln integrierende Bestandteile des
Tagebuchs als eines literarischen Kunstwerks sind, haben wir
weiter oben darzulegen versucht. Ihre Emanzipation als
Parabelstoff hat bei einigen Kritikern das Augenmerk vom
Tagebuch als literarischem Werk abgelenkt, da sich bei
Frischs Vorgehen, das eigene Tagebuch stoffartig auszubeuten,
die Funktion des letzteren als bloßes «Ideenmagazin» für
erwiesen gelten konnte[101]. Die Kritik an einer solchen Auffassung müßte nicht nur auf die klaren Bezüge zwischen
Erzählstoffen, Erlebnismustern und Reflexionen innerhalb des

Tagebuchs und auf die komplexe Einheitlichkeit des Ganzen hinzuweisen haben, sondern auch auf jene Stelle im *Tagebuch 1946–1949,* in der Frisch auf die Irrelevanz und Austauschbarkeit der Fabeln hinweist:

Fabeln, scheint es, gibt es zu Tausenden, jeder Bekannte wüßte eine, Unbekannte verschenken sie in einem Brief, jede ist ein Stück, ein Roman, ein Film, eine Kurzgeschichte, je nach der Hand, die sie zu greifen vermöchte – es fragt sich bloß, wo und an welchen Zipfeln sie ergriffen wird; welche ihrer zahlreichen Situationen sich kristallisiert ... Hamlet! Wenn es möglich wäre, seine Fabel ohne jede Gestaltung vorzulegen, kein noch so hellhöriger Kritiker könnte finden, daß sie nach dem Theater schreie. So vieles daran läßt sich nur erzählen; das Spielbare zu finden, braucht es die Wünschelrute eines theatralischen Temperamentes, hier eines theatralischen Genies. Etwas verdreht gesprochen! denn der Vorgang ist ja wohl nicht so, daß ein schöpferisches Temperament, ein theatralisches, oder ein anderes, an eine sogenannte Fabel herantritt, erwägend, ob sie sich für Theater oder Roman eigne, sondern das Temperament ist bereits die Entscheidung, der Maler sieht malerisch, der Plastiker sieht plastisch ... Der meistens verfehlte Versuch, ein Schauspiel umzusetzen in eine Erzählung oder umgekehrt, lehrt wohl am krassesten, was man im Grunde zwar weiß: daß eine Fabel an sich gar nicht existiert. (*T.* 267/68)

Das *Tagebuch 1966–1971* kennt nur wenige stoffartige Fabeln. Angesichts des Grundthemas «Altern», der mannigfaltigen ironischen Hinweise auf die Auflösungserscheinungen des Alters, könnte der voreilige Schluß naheliegen, das Fehlen der Fabeln deute auf nachlassende Schöpferkraft des Autors hin. Dem widerspricht nicht nur der oben zitierte Abschnitt über die Irrelevanz der Fabeln an sich, sondern vor allem die ganze künstlerische Entwicklung Frischs, die in bezug auf das Thema «Fabel» die wichtige Etappe der Kritik an der Parabel aufzuweisen hat. Der Januskopfcharakter der Parabel hat Frisch bekanntlich zur Entwicklung seiner eigenen Form des offenen Erzählens geführt, zum Offen-Artistischen, dem «Spielbewußtsein in der Erzählung». Das von der Lehrgeschichte unabhängige freie Erzählspiel zeigt Frisch auf dem Höhepunkt seiner Kunst. Es findet seinen Ausdruck im *Tagebuch 1966–1971* in den Erzählskizzen, die ganz nach dem Muster «Ich stelle mir vor» funktionieren. Wir finden, schon äußerlich, keine zusammenhängenden Geschichten mehr vor, sondern Blitzlichtaufnahmen, knappe Fragmente einer Verhaltensschilderung, oft nicht mehr als Stichwörter, Satzteile, durch Pausen und Auslassungspunkte isoliert – Mosaiksteine.

Die Erzählskizzen mit den Auslassungspunkten dazwischen wollen zu Ende gedacht, zu Ende erzählt werden. Ihr schwebender Charakter ist eine Aufforderung an den Leser, sich am Bewußtseinsspiel zu beteiligen. Frisch baut uns Brücken zu unserem eigenen Bewußtsein; keine Betonstrukturen, die Anspruch auf Ewigkeit erheben, während sich in ihren Verankerungen schon Risse[102] zeigen, sondern schwebende Übergänge des Möglichen.

In der letzten Erzählskizze treffen wir endlich eine paradigmatische Figur, einen alten Bekannten, der als Parabelgestalt schon im *Stiller* auftritt: Rip van Winkle, der Träumer, kehrt zurück nach Manhattan. Jedermann benimmt sich so, als wäre er nie weg gewesen. Sein Traum wird als Märchen bezeichnet. Er ist sich selber abhanden gekommen: «Zwar macht er weiter: Fässer, wie er's gelernt hat. Am Feierabend spielt er Karten, spricht holländisch und trinkt, am Sonntag geht er nach Coney Island, um Hasen zu schießen, oder auf die schwarzen Felsen von Manhattan. Sein Leben. Er wundert sich, wenn sie ihn grüßen, als wäre nichts geschehen. Alle andern, sein braves Weib und die Nachbarn, die Kunden, die Kumpane, die über sein berühmtes Märchen lachen, glauben es, daß das sein Leben ist –» (*T. II* 430)

Mit diesen Worten könnte das *Tagebuch 1966–1971* schließen.

Alles ist wie nicht gewesen.

Es folgen aber zwei kurze Skizzen, zunächst die Tagebucheintragung der Rückkehr nach Europa. Das Schiff nähert sich der Küste. Wir lesen: «... man ist froh, zu sehen, daß es immer noch fährt –» (*T. II* 431)

Leben gefällt mir –

Zuletzt steht die Schilderung der rührend unbeholfenen Granitsäule in der Loggia des Tessiner Heimes: «In ihrer unteren Hälfte ist sie etwas bauchig, überhaupt nicht glücklich in den Proportionen. Man sitzt in den Korbsesseln,

Nacht mit Wetterleuchten, davor die Säule, von der man nur weiß: Einer hat sie gehauen, denn da steht sie und trägt.» (*T. II* 431f.)

Im metaphorischen Ikonoklasmus der Gegenwartsliteratur bietet sich das literarische Tagebuch an als mögliches Medium einer reinen Bewußtseinsliteratur.

Das Tagebuch als literarische Form, so wie Frisch es für sich entwickelt hat, ist ein Kunstwerk unseres Zeitalters, in dem das Epochale, das Weltgeschichtliche, nicht nur Hintergrund ist, sondern sich auch im stofflich Begrenzten widerspiegelt. Dies ohne Gewaltsamkeit erreicht zu haben ist das Verdienst eines großen Schriftstellers. «Ich weiß eigentlich auch nicht, was Literatur ist und was sie sein soll», meint Frisch ironisch. (*I.* 8) Seine literarische Gestaltung des Tagebuchs, die innere Geschlossenheit und Stimmigkeit dieser Idee außerhalb jedes theoretischen Vorwurfs, jedoch unter der strengen Kontrolle der Wahrhaftigkeit, rechtfertigt sich selbst durch ihr Gelingen.

ANMERKUNGEN

Hinweise zur Benützung

Zitate aus Frischs Werken werden im Text selber kenntlich gemacht. Dabei bedeuten die Abkürzungen folgendes:

T.	*Tagebuch 1946–1949*, Frankfurt 1958.
T.II	*Tagebuch 1966–1971*, Frankfurt 1972.
Stiller	*Stiller*, Roman, Frankfurt 1954.
Homo faber	*Homo faber*. Ein Bericht, Frankfurt 1957.
Gantenbein	*Mein Name sei Gantenbein*, Roman, Frankfurt 1964.
Stücke	*Gesammelte Stücke*, Lizenzausgabe für den Buchclub Ex Libris, Zürich o. J.

Die Ziffern beziehen sich jeweils auf die Seitenzahl.

Zwei weitere Quellen, die, häufig verwendet, im Text selber genannt werden, sind:

Bienek	Horst Bienek, *Werkstattgespräche mit Schriftstellern* (dtv 291), München 1969.
I.	«An Interview with Max Frisch», conducted by Rolf Kieser, in *Contemporary Literature*, vol. 13, No. 1, Winter 1972, University of Wisconsin Press.

(Das Interview wurde in zwei Sessionen, am 23. April und am 11. Mai 1971, auf deutsch in New York aufgenommen. Die in *Contemporary Literature* veröffentlichte englische Version wurde vom Verfasser gekürzt. Die in den Anmerkungen genannten Ziffern beziehen sich auf die Seitenzahlen des gedruckten Interviews, der Text indessen wird in der deutschen Originalversion zitiert. Mit *I.*M gekennzeichnete Anmerkungen weisen auf ungedrucktes Interviewmaterial hin, das sich im Besitz des Verfassers befindet.)

1 Vgl. in diesem Zusammenhang etwa die auf Robert Walser zurück-
gehende Schweizer Tradition der «Kindergeschichten für Erwach-
sene», deren wichtigste Vertreter heute Peter Bichsel und Jörg
Steiner sind.

2 Robert Musil, *Tagebücher, Aphorismen, Essays und Reden*, hrsg. von
A. Frisé, 1955, S. 31.

3 In: Uwe Schultz (Hrsg.), *Das Tagebuch und der moderne Autor*, 1965,
S. 113f.

4 Siehe u.a. bei Peter Boerner, *Tagebuch*, 1969, S. 32ff.

5 *Tolstoi*, 1905, zit. von Reinhard Baumgart in *Merkur*, 1970, S. 736.

6 Die beiden bisher wichtigsten Studien über das literarische Tagebuch im allgemeinen stammen von Gustav René Hocke *(das euro-
päische Tagebuch*, 1963) und Peter Boerner *(Tagebuch*, Realienbücher
für Germanisten, Sammlung Metzler, Nr. 85, 1969). Das zweite
Werk enthält eine gute Bibliographie.

7 Vgl. u.a. Klaus Günther Just, «Das Tagebuch als literarische Form»,
in: K.G.J., *Übergänge*. Probleme und Gestalten der Literatur, 1966;
Albert Gräser, *Das literarische Tagebuch*. Studien über Elemente des
Tagebuchs als Kunstform, Diss. Saarbrücken 1955; Ruprecht Hein-
rich Kurzrock, *Das Tagebuch als literarische Form*, Diss. Berlin 1955;
Wilhelm Grenzmann, «Das Tagebuch als literarische Form», in:
Wirkendes Wort 9 (1959), S. 84–93.

8 Vgl. u.a. Karlheinz Braun, *Die epische Technik in Max Frischs
Roman «Stiller» als Beitrag zur Formfrage des modernen Romans*,
Diss. (masch.) Frankfurt 1959; Hans Bänziger, *Frisch und Dürren-
matt*, 1967; Ulrich Weisstein, *Max Frisch*, 1967; Ernst Schürer,
«Zur Interpretation von Max Frischs ‹Homo faber›», in: *Monatshefte* 59 (1967), S. 330–343; Jutta Birmele, «Anmerkungen zu Max
Frischs Roman ‹Mein Name sei Gantenbein›», in: *Monatshefte* 60
(1968), S. 167–173. Kurz vor Abschluß der vorliegenden Arbeit
ist außerdem Horst Steinmetz, *Max Frisch, Tagebuch, Drama, Roman*,
Göttingen 1973, Kleine Vandenhoeck-Reihe, 379 S., erschienen. Der
Autor befaßt sich ausführlich mit dem Zusammenhang zwischen
dem Tagebuch und dem Gesamtwerk Frischs. Er vermeidet jedoch
eine theoretische Auseinandersetzung mit dem Tagebuch als Kunstwerk.

9 Boerner, a.a.O., S. 48.

10 Hocke, Gräser, Grenzmann, op. cit.; Hans-Joachim Schoeps, «Biographie, Tagebücher und Briefe als Geschichtsquellen», in: *Deutsche
Rundschau* 86 (1960), S. 813–817; Karl Hans Bühner, «Möglichkeiten
des Tagebuchs», in: *Welt und Wort* 5 (1950), S. 189–191.

11 Dieser zweite Roman Frischs – sein schwächstes Werk – wurde bezeichnenderweise vom Autor in seiner «Vita» im Sammelwerk
Über Max Frisch (Thomas Beckermann [Hrsg.], edition suhrkamp
404, 1971) verleugnet.

12 Frisch hat seine Faszination für Albin Zollinger bestätigt u.a. im
Tagebuch 1946–1949 (S. 170ff.), in seinem «Nachruf auf Albin
Zollinger, den Dichter und Landsmann, nach zwanzig Jahren», in:

Albin Zollinger, *Gesammelte Prosa*, 1961/62, S. 7ff., und im oben genannten *Interview* mit dem Verfasser dieser Studie (siehe *I.* 11).

13 Vgl. Frischs Hinweis auf Carossa in seiner 1935 erschienenen Artikelfolge «Kleines Tagebuch einer deutschen Reise», in: *Neue Zürcher Zeitung,* 30. April, 7. Mai und 20. Mai 1935: «... dieses Kriegstagebuch von Carossa, das ich eben in der Hand hielt und jedermann schenken möchte ...»

14 Vgl. dazu Max Frisch, «Aus einem Tagebuch für Hermann Hesse», in: *Basler Nachrichten,* 6. Juli 1947; siehe auch Hermann Hesses Rezension von *Stiller,* in: *Die Weltwoche,* 19. November 1954, die von einer seltsamen Verständnislosigkeit gegenüber dem neuen Roman zeugt.

15 Vgl. u.a. Rudolf Hagelstanges Bemerkung: «... ein Vergleich zwischen Jünger und Frisch drängt sich geradezu auf – um der Sache willen»; in seiner «Rede auf den Preisträger» (zu Frischs Büchner-Preis 1957), in: *Deutsche Akademie für Sprache und Dichtung, Darmstadt, Jahrbuch 1957,* S. 84.

16 Vgl. u.a. «Ungarische Skizzen», in: *NZZ* («Neue Zürcher Zeitung»), Nr. 624/719, 1933; «Tage am Meer», *NZZ,* Nr. 1163/1170, 1933; «Glück in Griechenland», *NZZ,* Nr. 1967/2002, 1933; «Kleines Tagebuch einer deutschen Reise», *NZZ,* Nr. 752/799/881, 1935; «Tagebuch eines Soldaten», *NZZ,* Nr. 1603/1615/1634, 1935; «Aus dem Tagebuch eines Soldaten», in: *Atlantis* 11 (November 1939), S. 639; 12 (Dezember 1939), S. 689; «Zettel aus dem Brotsack», in: *NZZ,* Nr. 142/437/1911/1919/1924/1930/1936, 1939; «Skizzen eines Urlaubers», in: *NZZ,* Nr. 1577, 1941.

17 Werner Weber, *Tagebuch eines Lesers,* 1965, S. 215.

18 *Dramaturgisches.* Ein Briefwechsel (LCB Editionen 16, Literarisches Colloquium Berlin), 1969, S. 19.

19 Bänziger, a.a.O., S. 108.

20 Bänziger, a.a.O., S. 44.

21 Vgl. u.a. Robert B. Heilman, «Max Frisch's Modern Moralities», in: *University of Denver Quarterly* I (1966), S. 42–60; siehe auch Anm. 24 und 25.

22 Vgl. die erstaunliche Parallele zu Musils Tagebucheintrag: «Es gibt Wahrheiten, aber keine Wahrheit. Ich kann ganz gut zwei einander völlig entgegengesetzte Dinge behaupten und in beiden Fällen recht haben. Man darf Einfälle nicht gegeneinander abwägen – jeder ist ein Leben für sich. Siehe Nietzsche. Welches Fiasco, sobald man in ihm ein System finden will, außer dem der geistigen Willkür des Weisen. Eine andere Spezies bilden die großen Liebenden – Christus, Buddha, Goethe – ich, in jenen Herbsttagen, da ich Valerie liebte. Die suchen gar keine Wahrheit, aber sie fühlen, daß sich etwas in ihnen zu etwas Ganzem zusammenschließt. Das ist etwas rein Menschliches – ein Naturprozeß. Und diese können Einfälle gegeneinander abwägen, denn das Neue, das in ihnen wächst, hat wählerische Wurzeln.» In: R. Musil, *Tagebücher,* a.a.O., S. 32. Vgl. auch Kafkas Tagebuchnotiz: «Wahrheit ist unteilbar, kann sich also selbst

nicht erkennen. Wer sie erkennen will, muß Lüge sein.» (14. Januar 1918.) In: Franz Kafka, *Tagebücher 1910–1923*, 1951.

23 In: *Öffentlichkeit als Partner*, a.a.O., S. 46.

24 In: *Deutsche Literatur in West und Ost*, 1963, S. 87.

25 In: *Yale French Studies*, Nr. 29, 1962.

26 Hocke, a.a.O., S. 29, Anm. 1.

27 Grenzmann, a.a.O., S. 85.

28 Wir verzichten ausdrücklich darauf, irgendwelche Parallelen zwischen Frischs diaristischer Zeitauffassung und den auf der Hand liegenden philosophischen Untersuchungen zum Phänomen der Erlebniszeit (etwa denjenigen von Husserl, Heidegger oder Bernanos) herzustellen, da Frisch bekanntlich jede Identifizierung mit Abstraktionen von sich weist, so beispielsweise im Briefwechsel mit Walter Höllerer, wo er gesteht, «... daß ich meine Arbeit nie durch eine Theorie habe programmieren können». (In: *Dramaturgisches*, a.a.O., S. 19.)

29 Frisch spricht sich selber die Begabung für Lyrik ab. Siehe *Interview*, a.a.O., S. 7.

30 Vgl. die Kapitelüberschriften bei Boerner, op. cit.

31 Vgl. dazu Andrew White, «Labyrinths of Modern Fiction, Max Frisch's ‹Stiller› as a novel of alienation, and the ‹nouveau roman›», in: *Arcadia* 2 (1967), S. 296: «In Frisch's fiction the *how* is more important than the *why* and the *what*. The point is that Frisch is not trying to express a ‹message› in the traditional sense.»

32 Vgl. Anm. 24.

33 Zur Kritik am dokumentarischen Theater siehe Aufsatz und Literaturhinweise von Rolf-Peter Carl, «Dokumentarisches Theater», in: Manfred Durzak (Hrsg.), *Die deutsche Literatur der Gegenwart. Aspekte und Tendenzen*, 1971, S. 99–127.

34 Zum Zürcher Literaturstreit, bei dem Frisch die maßgebende Diskussion auslöste; siehe die Dokumentation in: *Sprache im technischen Zeitalter*, April–Juni 1967.

35 Siehe Anm. 5.

36 Johan Huizinga, *Homo Ludens*. Vom Ursprung der Kultur im Spiel (Rowohlts deutsche Enzyklopädie, Bd. 21), 1969.

37 a.a.O., S. 129.

38 Horst Rüdiger, «Das Tagebuch als Literarform des 20. Jahrhunderts: Jünger und Pavese», in: *Auszüge aus den Akten der II. Internationalen Tagung deutsch-italienischer Studien*, Meran 1961, S. 369.

39 Vgl. Dieter Wellershoff, «Der Kompetenzzweifel der Schriftsteller», in: *Merkur*, 1970, S. 723 ff.

40 Einen pointierten Ausdruck dieses Anliegens finden wir in den «Fragebogen» im *Tagebuch 1966–1971*.

41 «Rede an junge Lehrer», in: *NZZ*, 21. April 1957.

42 Vgl. John F. Holley, *The Problem of the Intellectual's Ethical Dilemma as presented in Four Plays by Max Frisch*, Diss. (masch.) New Orleans, Tulane University, 1965 (Anhang).

43 *Bin oder die Reise nach Peking* (Bibliothek Suhrkamp, Nr. 7), S. 37.

44 a.a.O., S. 85. Dasselbe Wort findet sich bereits im Aufsatz «Das erste Haus. Notizen eines Architekten», in: *NZZ*, 20. September 1942.

45 Holley, a.a.O., S. 101.

46 Vgl. dazu die Stelle aus *Stiller*, wo dieser auf die Einschränkung unserer Erlebnisfähigkeit durch literarische Klischees hinweist (S. 219).

47 U.a. von Peter Demetz in der wegweisenden Studie *Die süße Anarchie*. Deutsche Literatur seit 1945, 1970.

48 Vgl. u.a. Emil Staiger, *Grundbegriffe der Poetik*, ³1956, S. 55: «Der Tagebuchschreiber befreit sich von jedem Tag, indem er Abstand nimmt und das Gewesene überdeckt. Gelingt ihm das nicht, spricht er unmittelbar, so fällt sein Tagebuch lyrisch aus.»

49 Die Frage, ob Frischs *Gantenbein*-Roman als *nouveau roman* anzu-. sprechen sei, wurde schon verschiedentlich diskutiert. Siehe u.a. Andrew White, op. cit.; Marius Cauvin, «Max Frisch, l'absolu et le nouveau roman», in: *Etudes Germaniques*, janvier–mars 1967, S. 93–98. Frisch selber verwahrt sich ausdrücklich gegen diese Auffassung. (Siehe Max Frisch, «Ich schreibe für Leser», in: *Dichten und Trachten* XXIV, 1964.)

50 Weber, a.a.O., S. 219.

51 Max Frisch, «Emigranten». Rede zur Verleihung des Georg-Büchner-Preises 1957, in: *Moderna Språk*, vol. XII, 1958, S. 218.

52 Siehe Anm. 47.

53 Vgl. u.a. Erich Kuby, «Der Wächter», in: *Frankfurter Hefte*, 1951, S. 434: «Sein Tagebuch ist, was das Anliegen betrifft, allgemeiner gefaßt und bedeutender als die Stücke.»

54 Frisch nennt im *Tagebuch 1966–1971* unter dem Titel «Katalog» lauter Dinge, die ihn offenbar erfreuen oder beschäftigen. Darunter befindet sich die Eintragung «Kaleidoskope, die man schütteln kann». (*T. II* 345)

55 Siehe dazu Derrick Barlow, «‹Ordnung› and ‹Das wirkliche Leben› in the Work of Max Frisch», in: *German Life and Letters* 19 (1965/66), S. 52–60.

56 Erst 1971 schreibt Frisch seinen *Wilhelm Tell für die Schule* (Suhrkamp Taschenbuch 2), eine ironische Neugestaltung des Tellenstoffs aus der Sicht Geßlers. Aus dem *Tagebuch 1946–1949* geht hervor, daß Brecht die Anregung gegeben hat (vgl. S. 30). Daß dieser den Stoff seinerseits von Friedrich Engels borgte (siehe Friedrich Engels, *Über die Schweiz*, 1847), scheint Frisch damals noch nicht bemerkt zu haben. Sein Zögern erfolgte vielmehr, weil er die These als «allzu beliebig verwendbar als Legitimation heutiger Vögte» (S. 30) erachtete.

57 S. 148: «Sie sollten einmal alles verbrennen! Ich habe von einem großen Dichter gelesen, der einmal einfach alles verbrannt hat. Kleist, glaube ich. Meinen Sie nicht, Sie sollten einmal einfach alles verbrennen?»

58 op. cit., a.a.O., S. 215.

59 Vgl. u.a. Monika Wintsch-Spieß, *Zum Problem der Identität im*

Werk Max Frischs, Diss. Zürich 1965; Kathleen Harris, «Stiller: Ich oder Nicht-Ich», in: *German Quarterly* 41 (1968), S. 689–697; Philipp Manger, «Kierkegaard in Max Frisch's Novel ‹Stiller›», in: *German Life and Letters* 20 (1966/67).

60 Hans Mayer hat – als Marxist – bekanntlich versucht, den Beweis zu liefern, daß es Frisch im *Stiller* eben darum gehe, das Kierkegaard-Zitat *ad absurdum* zu führen (siehe Hans Mayer, «Anmerkungen zu ‹Stiller›», in: *Dürrenmatt und Frisch,* opuscula 4, 1963, S. 38–54). Doch ist aus der antiideologischen Haltung des Tagebuchschreibers heraus eine «Beweisführung» gegen eine beliebige Philosophie ebenso unwahrscheinlich wie die Identifikation mit derselben.

61 Siehe dazu Dürrenmatts Kritik in *Über Max Frisch,* a.a.O., S. 11.

62 S. 323 ff.

63 a.a.O., S. 27.

64 Im *Tagebuch 1966–1971* kommt Frisch bezeichnenderweise nochmals auf das Paris-Erlebnis zu sprechen (S. 124): «Paris hat immer etwas von einer früheren Geliebten; richtiger gesagt: es hätte eine Geliebte werden können, doch hatte man sich seinerzeit verpaßt. Es war schon die Allerweltsgeliebte und voll Literatur ...»

65 a.a.O., S. 27.

66 Joachim Kaiser, «Max Frisch und der Roman», in: *Über Max Frisch,* a.a.O., S. 45.

67 a.a.O., S. 47.

68 In: *Frankfurter Allgemeine Zeitung,* 26. Oktober 1957.

69 Gerhard Kaiser, «Max Frischs Farce ‹Die Chinesische Mauer›», in: *Über Max Frisch,* a.a.O., S. 118.

70 a.a.O., S. 120.

71 a.a.O., S. 126.

72 Max Frisch, *Glossen zu Don Juan,* 1959, S. 2.

73 a.a.O., S. 7.

74 Vgl. Gody Suter, «Graf Öderland mit der Axt in der Hand», in: *Über Max Frisch,* a.a.O., S. 114: «Die erste Bühnenfassung [...] scheiterte daran, daß Frisch [...] die Wirkung auf sich selbst verspürte – Öderland in uns – ...»

75 Friedrich Dürrenmatt, «Eine Vision und ihr dramatisches Schicksal: Zu ‹Graf Öderland› von Max Frisch», in: *Über Max Frisch,* a.a.O., S. 110.

76 a.a.O., S. 112. Frisch hat später Öderlands Ende (er springt in der ersten Version aus dem Fenster) geändert.

77 Vgl. *Tagebuch 1946–1949,* S. 63: «Zum Theater (Bühnenrahmen)».

78 Karl Schmid, «‹Andorra› und die Entscheidung», in: *Über Max Frisch,* a.a.O., S. 147 ff.

79 Max Frisch, «Unsere Gier nach Geschichten», in: *Die Weltwoche,* 4. November 1960.

80 Hellmuth Karasek, «Biedermann und die Brandstifter», in: *Über Max Frisch,* a.a.O., S. 143.

81 In: *Die Welt,* 6. November 1961.

82 op. cit., a.a.O., S. 146.

83 Später gibt Frisch zu, die Ansicht, man könne Verfremdung auch für erzählende Prosa verwenden, sei aus seiner damaligen mangelhaften Kenntnis der modernen Literatur, in der ja eigentlich nur der realistische Roman die Verfremdung ignoriere, entstanden und deshalb «verspätet und naiv» gewesen, siehe S. 59.

84 Vgl. Wolf R. Marchand, «Max Frisch, ‹Mein Name sei Gantenbein›», in: Über Max Frisch, a.a.O., S. 222.

85 Dichten und Trachten 24 (1964), a.a.O., S. 16.

86 Ibid., a.a.O., S. 21.

87 Vgl. dazu Jutta Birmele, a.a.O., S. 172.

88 Vgl. dazu Gantenbein, S. 103: «Manchmal scheint auch mir, daß jedes Buch, so es sich nicht befaßt mit der Verhinderung des Krieges, mit der Schaffung einer besonderen Gesellschaft und so weiter, sinnlos ist, müßig, unverantwortlich, langweilig, nicht wert, daß man es liest, unstatthaft. Es ist nicht die Zeit für Ich-Geschichten. Und doch vollzieht sich das menschliche Leben oder verfehlt es sich am einzelnen Ich, nirgends sonst.»

89 Moderna Språk, a.a.O., S. 254.

90 Vgl. z. B. die Homosexuellenrolle, der Kürmann nicht gewachsen ist.

91 Vgl. dazu das Gegenstück aus Tagebuch 1966–1971, S. 418. «Was die antiken Seher, meistens blind, zu sagen hatten, war auch selten mehr als das Offenbare, was zu sehen aber die andern sich nicht leisten können – aus Rücksicht auf sich selbst und zu ihrem Schaden.»

92 Siehe dazu Tagebuch 1966–1971, S. 311: «Was an einem öffentlichen Tagebuch fragwürdig bleibt: die Aussparung von Namen und Personalien aus Gründen des Takts. Die Brüder Goncourt haben sich nicht gescheut: wer mit ihnen speiste, geriet durch ihr Tagebuch in die Öffentlichkeit. Warum scheue ich mich? Dadurch entsteht der Eindruck, der Tagebuchschreiber sehe nur sich selbst als Person, seine Zeitgenossen als anonyme Menge. Wenn jemand der Öffentlichkeit schon bekannt ist, erübrigt sich zwar die Scheu; nur entsteht dann der Eindruck, der Tagebuchschreiber lebe ausschließlich mit berühmten Zeitgenossen oder halte nur sie für buchenswert. Warum also nicht die Namen und Personalien aller Leute, die den Tagebuchschreiber beschäftigen? Es braucht ja keine üble Nachrede zu sein, aber auch das Gegenteil wäre indiskret. Woher nehme ich das Recht, die andern auszuplaudern? Der Preis für diese Indiskretion: die Hypertrophie der Egozentrik, oder um dieser zu entkommen: eine Hypertrophie des Politischen?»

93 Die «Erinnerungen an Brecht» erscheinen im Tagebuch 1966–1971 gekürzt. Als Sonderdruck sind sie bereits 1968 erschienen. Die Erstfassung enthält die Schilderung eines sehr privaten Traumerlebnisses, das in der Tagebuchfassung bezeichnenderweise wegfällt.

94 Man erinnert sich, daß sich der junge Musil auf der ersten Seite seiner Tagebücher als «monsieur le vivisecteur» vorstellte.

95 Karl Schmid, a.a.O., S. 250.

96 Karl Schmid, a.a.O., S. 158.
97 *Moderna Språk,* a.a.O., S. 251.
98 *Städte 1945.* Berichte und Bekenntnisse, Ingeborg Drewitz (Hrsg.), 1970. Beiträge von Stephan Hermlin, Günter Kunert, Peter Huchel, Hans Erich Nossack, Max von der Grün, Günter Eich, Hilde Domin, Heinrich Böll, Marie Louise Kaschnitz, Erich Kästner, Hermann Kesten, Carl Zuckmayer, Bertolt Brecht, Peter Härtling, Inge Aichinger, Hilde Spiel u.a.
99 Ibid., a.a.O., S. 188f.
100 Als reizvolle Kontraststudie wäre der *Monstervortrag über Gerechtigkeit und Recht.* Eine kleine Dramaturgie der Politik (1969) von Friedrich Dürrenmatt zu empfehlen, wobei die Denkansätze der beiden Schriftsteller in ihrer grundsätzlichen Verschiedenheit gerade bei diesen politischen Gedanken besonders deutlich hervortreten.
101 U.a. bei Boerner, a.a.O., S. 23, wo er behauptet: «Max Frisch deponierte in seinem Tagebuch zahlreiche Skizzen zu Theaterstücken, Filmscripte und andere unvollendete Texte.» Vgl. auch Juergen P. Wallmann, «Max Frischs neues Tagebuch», in: *Die Tat,* 15. April 1972.
102 Vgl. die symbolische Skizze «Statik» im *Tagebuch 1966–1971,* S. 391ff.